Liceum Avalon

Polecamy również

Meg Cabot

PAMIĘTNIK KSIĘŻNICZKI 1

PAMIĘTNIK KSIĘŻNICZKI 2
Księżniczka w świetle reflektorów

PAMIĘTNIK KSIĘŻNICZKI 3
Zakochana księżniczka

PAMIĘTNIK KSIĘŻNICZKI 4
Księżniczka na dworze

PAMIĘTNIK KSIĘŻNICZKI 4 I ½
Akcja „Księżniczka"

PAMIĘTNIK KSIĘŻNICZKI 5
Księżniczka na różowo

PAMIĘTNIK KSIĘŻNICZKI 6
Księżniczka uczy się rządzić

PAMIĘTNIK KSIĘŻNICZKI 7
Księżniczka imprezuje

DZIEWCZYNA AMERYKI

DZIEWCZYNA AMERYKI 2
Pierwszy krok

IDOL NASTOLATEK

Cecily von Ziegesar

PLOTKARA

WIEM, ŻE MNIE KOCHACIE
Plotkara 2

CHCĘ TYLKO WSZYSTKIEGO
Plotkara 3

BO JESTEM TEGO WARTA
Plotkara 4

TAK JAK LUBIĘ
Plotkara 5

TYLKO CIEBIE CHCĘ
Plotkara 6

NIKT NIE ROBI TEGO LEPIEJ
Plotkara 7

NIE ZATRZYMASZ MNIE PRZY SOBIE
Plotkara 8

DZIEWCZYNA SUPER

Zoey Dean

NA TOPIE
Z Nowego Jorku do Hollywood

NA TOPIE 2
Dziewczyny w Hollywood

NA TOPIE 3
Blondynka z ambicjami

w przygotowaniu

Meg Cabot

PAMIĘTNIK KSIĘŻNICZKI 7 I ½
Urodziny księżniczki

Melisa de la Cruz

OPERKI

MEG CABOT

Liceum Avalon

Przekład
Edyta Jaczewska

Tytuł oryginału
Avalon High

Redakcja stylistyczna
Izabella Sieńko-Holewa

Redakcja techniczna
Andrzej Witkowski

Korekta
Zofia Firek
Barbara Opiłowska

Ilustracja na okładce
Nicola Slater

Opracowanie graficzne okładki
Studio Graficzne Wydawnictwa Amber

Skład
Wydawnictwo Amber

Druk
Wojskowa Drukarnia w Łodzi

ISBN 83-241-2586-8
978-83-241-2586-9

Warszawa 2006. Wydanie I

WYDAWNICTWO AMBER Sp. z o.o.
00-060 Warszawa, ul. Królewska 27
tel. 620 40 13, 620 81 62

www.wydawnictwoamber.pl

Dla dwóch Barbar Cabot,
niedobrej mamusi i cioci Babs

Serdeczne podziękowania dla Beth Ader, Jennifer Brown, Barbary M. Cabot, Michele Jaffe, Laury Langlie, Abigail McAden, a przede wszystkim dla Benjamina Egnatza

Rozdział 1

Po zmroku rzuca snop skonana
dłoń, a żniwiarka zasłuchana
szepcze: „Oto zaczarowana
Pani na Shalott".

Ty to masz fart.

Moja najlepsza przyjaciółka, Nancy, wszystko widzi właśnie tak. Chyba można ją nazwać optymistką.

Nie żebym sama była pesymistką czy coś. Ja jestem po prostu... praktyczna. A przynajmniej według Nancy.

Najwyraźniej poza tym mam fart.

– Fart? – powtórzyłam do słuchawki. – A w czym mam taki fart?

– Och, no wiesz – powiedziała Nancy. – Możesz zacząć wszystko od nowa. W zupełnie nowej szkole, gdzie nikt cię nie zna. Możesz być kim tylko chcesz, pozwolić sobie na totalną przemianę osobowości. I nie będzie tam ani jednej osoby, która by ci powiedziała: „Kogo ty chcesz nabrać, Ellie Harrison? Pamiętam, jak w piątej klasie podstawówki jadłaś klej".

– Nigdy nie myślałam o tym w ten sposób. – I rzeczywiście tak było. – A w ogóle to ty jadłaś klej.

– Sama widzisz, o co mi chodzi – westchnęła Nancy. – No to powodzenia. Ze szkołą i ze wszystkim.

– Tak. – Mimo że dzieliły nas tysiące kilometrów, potrafiłam wyczuć, że czas kończyć rozmowę. – Na razie.

– Na razie – rzuciła Nancy. A potem dodała jeszcze raz: – Ale masz szczęście.

Naprawdę, dopóki Nancy tego nie powiedziała, nie uważałam swojej sytuacji za szczęśliwą. No może poza tym, że w ogrodzie za naszym nowym domem był basen. Nigdy jeszcze nie mieliśmy własnego basenu. Przedtem, jeśli chciałyśmy z Nancy popływać, musiałyśmy wsiąść na rowery i przejechać osiem kilometrów – prawie ciągle pod górę – do Como Park.

Muszę przyznać, że kiedy rodzice powiedzieli, że dostali roczny urlop naukowy, tylko fakt, że pospiesznie dodali: „I będziemy mieli dom z basenem!", powstrzymał wymioty, które podchodziły mi do gardła. Jeśli jesteś dzieckiem pary wykładowców, „urlop naukowy" to prawdopodobnie dwa najpaskudniejsze słowa w twoim słowniku. Co siedem lat większość wykładowców uniwersyteckich dostaje taki urlop – w zasadzie są to całoroczne wakacje, żeby mogli naładować akumulatory i napisać, a potem wydać jakąś książkę.

Wykładowcy to uwielbiają.

Ich dzieci tego nie znoszą.

Bo czy naprawdę chcielibyście dać się wyrwać z korzeniami i zostawić wszystkich swoich przyjaciół? Potem trzeba zaprzyjaźnić się z tymi wszystkimi nowymi ludźmi w nowej szkole. I właśnie kiedy zaczynacie myśleć: „Okay, nie jest aż tak źle", to po roku znów musicie wszystko rzucić i wracać tam, skąd przyjechaliście.

Nikt by tak nie chciał. A przynajmniej nikt normalny.

W każdym razie ten urlop naukowy nie jest tak fatalny jak poprzedni, który spędziłam w Niemczech. Nie chodzi o to, że z Niemcami jest coś nie tak. Nadal wymieniam e-maile z Anne-Katrin, dziewczyną, z którą siedziałam w ławce w tej dziwnej niemieckiej szkole, do której tam chodziłam.

Ale, dajcie spokój, musiałam się nauczyć zupełnie obcego języka!

Przynajmniej tym razem zostaliśmy w Stanach. No i dobra, mieszkamy niedaleko Waszyngtonu, w miejscu, które nie przypomina reszty Ameryki. Ale wszyscy tutaj mówią po angielsku. Na razie.

I jest basen.

Okazuje się, że posiadanie własnego basenu to spora odpowiedzialność. Co rano trzeba sprawdzić filtry i upewnić się, że nie pozapychały ich liście, zdechłe krety czy coś. W naszych zawsze znajdzie się żaba czy dwie. Zazwyczaj jeśli wyjdę z domu dość wcześnie, jeszcze żyją. Wtedy muszę przeprowadzać akcję ratunkową dla żab.

Uratować je można wyłącznie w ten sposób, że sięga się głęboko pod wodę i wyciąga koszyk z filtra. Przy okazji muszę brać w ręce różne obrzydlistwa, które tam pływają. Na przykład martwe żuki albo traszki, a kilka razy potopione myszy. Raz znalazłam tam węża. Nadal żył. Zazwyczaj nie biorę w ręce czegoś, co może mi wstrzyknąć w żyły strumień paraliżującego jadu, więc wrzasnęłam do rodziców, że w koszyku filtra jest wąż.

– No i? Co mam z nim niby zrobić?! – odwrzasnął tata.

– Wyciągnąć go.

– Nie ma mowy. Żadnego węża do ręki nie wezmę.

Moi rodzice nie są tacy jak inni. Po pierwsze, normalni rodzice wychodzą z domu do pracy. Niektórzy nawet spędzają w niej codziennie po osiem godzin, jak słyszałam.

Ale nie moi. Moi rodzice są w domu przez cały czas. Nigdy nie wychodzą! Siedzą w pracowniach i piszą coś albo czytają. Na dobrą sprawę wychodzą – każde ze swojego gabinetu – tylko po to, żeby obejrzeć *Va banque*. A wtedy przekrzykują się wzajemnie odpowiedziami.

Żadna z moich koleżanek nie ma rodziców, którzy by znali wszystkie odpowiedzi w *Va banque* i jeszcze się nimi przekrzykiwali. Bywałam w domu u Nancy i sama widziałam. Jej mama i tata po obiedzie oglądają *Entertainment Tonight* jak normalni ludzie.

Ja nie znam żadnych odpowiedzi w *Va banque* i dlatego nie cierpię tego teleturnieju.

Mój tata wychował się w Bronksie, gdzie nie ma żadnych węży, i nienawidzi zwierząt. Totalnie ignoruje naszego kota, Berka. Co oczywiście oznacza, że Berek ma na jego punkcie hopla.

A jeśli mój tata zobaczy pająka, drze się jak dziewczyna. Wtedy moja mama, która wychowała się na ranczu w Montanie i nie ma cierpliwości ani do pająków, ani do wrzasków mojego taty, wkracza do akcji i zabija biedne stworzenie, chociaż miliony razy jej mówiłam, że pająki są niezwykle pożyteczne.

No więc wiem, że nie powinnam mówić mamie o tym wężu w filtrze, bo pewnie na moich oczach złapałaby go i urwała mu głowę. Znalazłam rozwidloną gałąź i wyciągnęłam go z koszyka. Wypuściłam go między drzewa za domem, który wynajmujemy. I chociaż nie okazał się taki straszny, kiedy już zebrałam się na odwagę, żeby go uratować, mam nadzieję, że tu nie wróci.

Kiedy ma się własny basen, trzeba robić jeszcze inne rzeczy, poza tym, że się czyści koszyki od filtrów. Należy oczyszczać dno basenu specjalnym odkurzaczem – to jest nawet zabawne – i trzeba sprawdzać zawartość chloru oraz pH. Lubię testować wodę. Robię to kilka razy dziennie. Wlewa się wodę do malutkich probówek, a potem dodaje parę kropli takiego czegoś. Jeśli woda w probówkach zmieni kolor na nieodpowiedni, to do koszyków przy filtrach muszę wsypać trochę specjalnego proszku. To zupełnie jak chemia, tylko fajniejsze, bo kiedy skończysz, zamiast śmierdzącej masy, która mi zawsze zostawała po doświadczeniach, masz piękną, czystą, błękitną wodę.

Większość lata po przeprowadzce do Annapolis spędziłam, kręcąc się przy basenie. Mówię „kręcąc się", ale mój brat Geoff, który w drugim tygodniu sierpnia wyjechał na pierwszy rok studiów, ujął to inaczej. Powiedział, że zachowuję się, jakby mi na tym punkcie zupełnie odwaliło.

– Ellie – mówił do mnie tyle razy, że straciłam rachubę. – Wyluzuj. Nie musisz tego robić. Mamy umowę z firmą od basenów. Przyjeżdżają tu co tydzień. Pozwól im się tym zająć.

Ale facet od basenu wcale się tym nie przejmuje. On to robi wyłącznie dla pieniędzy. On nie widzi w tym piękna. Jestem tego całkiem pewna.

Chyba mogę zrozumieć, o co chodziło Geoffowi. Basen rzeczywiście zaczął wypełniać większość mojego czasu. Kiedy go nie czyściłam, unosiłam się na powierzchni wody na nadmuchiwanym materacu. Zmusiłam mamę i tatę, żeby mi taki kupili, kiedy byliśmy w Wawie. Tak się nazywają stacje benzynowe tu, w stanie Maryland. Wawa. W domu w Minnesocie nie mamy żadnych stacji Wawa, tylko, na przykład, Mobil i Exxon czy jakoś tak.

W każdym razie nadmuchaliśmy je też na stacji Wawa – te materace – kompresorem, którym pompuje się opony samochodowe, chociaż nie powinno się go używać do nadmuchiwania materaców. Tak jest na nich napisane.

A kiedy Geoff wytknął to mojemu tacie, ten powiedział tylko:

– Kto by się tym przejmował? – I tak czy inaczej nadmuchał materace.

I nic złego się nie stało.

Każdy dzień minionego lata wyglądał tak samo. Rano wstawałam i wkładałam bikini. Brałam batonik Nutri-Grain i szłam na dół sprawdzić, czy w koszykach od filtrów nie ma żab. Potem, kiedy basen był już czysty, siadałam z książką na jednym z materaców. Czytałam i unosiłam się na wodzie.

Od czasu, kiedy Geoff wyjechał na studia, tak się w tym wprawiłam, że udawało mi się nawet nie zamoczyć włosów. Mogłam tak siedzieć przez cały ranek, bez żadnej przerwy, aż do chwili kiedy mama lub tata wychodzili na taras i mówili:

– Lunch.

Wtedy wracałam do domu. Jedliśmy kanapki z masłem orzechowym i galaretką, jeśli to na mnie przypadał tego dnia dyżur w kuchni, albo żeberka z Red Hot and Blue, jeśli to była kolej któregoś z rodziców. Oboje byli zbyt zajęci pisaniem książek, żeby gotować.

Potem wracałam nad basen, aż mama albo tata nie zawołali mnie na obiad.

Wydawało mi się, że to całkiem niezły sposób na spędzenie kilku ostatnich tygodni lata.

Ale moja mama tak nie uważała.

Nie wiem, dlaczego aż tak bardzo się interesowała tym, w jaki sposób spędzam czas. W końcu to ona pozwoliła tacie nas tu zawlec, ze względu na książkę, do której zbiera materiały. Swoją własną książkę – o mojej imienniczce, Elaine z Astolat, Pani na Shalott – równie dobrze mogła napisać w domu, w St. Paul.

Och, tak. To następna rzecz, z którą musisz się pogodzić, jeśli twoi rodzice są wykładowcami na uniwersytecie. Dadzą ci imię po jakimś przypadkowym pisarzu – biedny Geoff odziedziczył swoje po Geoffreyu Chaucerze – albo po postaci literackiej, na przykład Pani na Shalott, czyli lady Elaine. Tej samej, która się zabiła, bo sir Lancelot wolał od niej królową Ginewrę – no wiecie, tę, którą grała Keira Knightley w filmie o królu Arturze.

I nic mnie nie obchodzi, że poemat o niej jest taki piękny. To niezbyt fajne odziedziczyć imię po kimś, kto się zabił dla faceta. Kilka razy wspominałam o tym rodzicom, ale oni nadal tego nie chwytają.

Zresztą fakt, że oboje z bratem otrzymaliśmy dziwaczne imiona, to nie jedyna rzecz, która do nich nie dociera.

– Nie masz ochoty jechać do centrum handlowego? – Mama pytała mnie o to dzień w dzień, zanim udało mi się uciec nad basen. – Nie chcesz się wybrać do kina?

Teraz, kiedy Geoff wyjechał na uniwersytet, nie miałam z kim iść do kina czy do centrum handlowego – poza rodzicami. A z nimi za żadne skarby bym nie poszła. Wiem, co to znaczy. Nie ma to jak iść do kina z ludźmi, którzy robią potem filmowi taką sekcję zwłok, że nic z niego nie zostaje. Czego oni się spodziewają?

– Szkoła zacznie się już niedługo – odpowiadałam mamie. – Dlaczego nie mogę do tego czasu po prostu popływać sobie na materacu?

– Bo to nie jest normalne – odpowiadała mama.

Na co ja z kolei mówiłam:

– Aha, jakbyś ty miała wiedzieć, co jest normalne...

Bo, powiedzmy to sobie szczerze, oboje moi rodzice to dziwadła.

Mama nawet się na mnie nie wściekała. Kręciła tylko głową i mówiła:

– Wiem, jak wygląda zachowanie normalnej nastolatki. To, że leżysz samotnie na materacu przez cały dzień, normalne nie jest.

Uznałam, że to zbyt surowy osąd. W leżeniu na wodzie nie ma nic złego. To całkiem przyjemne. Możesz sobie leżeć i czytać. A jeśli twoja książka robi się nudna, wystarczy ją odłożyć, a gdy ci się nie chce iść do domu po następną – obserwować, jak promienie słońca odbijają się w wodzie i padają na liście drzew nad tobą. I możesz słuchać ptaków i cykad, i odgłosów ćwiczeń artyleryjskich w Szkole Morskiej, dobiegających z oddali.

Widywaliśmy ich czasami. Kajtków, to znaczy kadetów, jak sami woleli się nazywać, czyli studentów-oficerów marynarki. W swoich nieskazitelnie białych mundurach chodzili dwójkami po molo. Ile razy jechaliśmy z rodzicami kupić mi jakąś nową książkę do czytania, a dla nich kawę w księgarniokawiarni Hard Bean, tata zawsze wskazywał na nich palcem i mówił:

– Patrz, Ellie. Marynarze.

Co pewnie wcale nie jest takie dziwne. Pewnie chciał ze mną pogadać jak dziewczyna z dziewczyną. Bo wiecie, z mamą, zabójczynią pająków, tak sobie nie pogadam.

Chyba powinnam była myśleć, że ci kadeci są zabójczy czy coś. Ale nie zamierzałam rozmawiać o zabójczych facetach ze swoim tatą. Doceniam jego wysiłek, ale było to równie męczące jak mamine: „Może dasz mi się zabrać do centrum handlowego?”

W końcu mój tata też nie spędzał dni na jakichś niesamowicie ekscytujących zajęciach. Na barometrze nudy książka, którą pisze, wypada jeszcze niżej niż książka mamy. Bo to jest książka o mieczu. O mieczu! I to nawet nie jest żaden ładny miecz, wysadzany klejnotami czy coś. Jest stary, ma mnóstwo plam po rdzy i nie jest nic wart. Wiem, bo Muzeum Narodowe w Waszyngtonie pozwoliło tacie zabrać go do domu, żeby mógł go dokładnie zbadać. To dlatego się tu przeprowadziliśmy, żeby mógł w spokoju badać ten miecz. Wisi w jego gabinecie – to znaczy, w gabinecie profesora, od którego wynajmujemy dom, kiedy on jest w Anglii na swoim urlopie naukowym i pewnie bada coś jeszcze mniej wartościowego niż ten miecz taty.

Muzeum pozwala ludziom pożyczać sobie różne rzeczy i zabierać do domu, jeśli mają one wartość akademicką (czyli żadną) i jeśli jest się profesorem.

Nie wiem, dlaczego moi rodzice musieli sobie upodobać akurat średniowiecze. To najnudniejsza epoka ze wszystkich, pomijając może czasy prehistoryczne. Wiem, że większość ludzi myśli inaczej, ale to dlatego, że nie wiedzą, jak naprawdę wyglądało średniowiecze. Sądzą, że było tak, jak pokazują w kinie czy w telewizji. No wiecie, że kobiety przechadzały się wdzięcznie w spiczastych kapeluszach i ślicznych sukniach. Wszędzie słychać było: „mój panie" i „pani", a odziani w zbroje rycerze nadjeżdżali w tumulcie kopyt, żeby ratować wszystkich z opresji.

Niestety, jeśli twoi rodzice są mediewistami, czyli studiują średniowiecze, szybko się uczysz, że to wcale tak nie wyglądało. Prawdę mówiąc, wszyscy wtedy paskudnie cuchnęli, w ogóle nie mieli zębów i umierali ze starości w wieku, powiedzmy, dwudziestu lat. Kobiety były potwornie uciskane, a mężczyźni obwiniali je za wszystko, co im się nie udawało.

Popatrzcie tylko na Ginewrę. Wszyscy myślą, że to jej wina, że Camelot już nie istnieje. Jasne, i co jeszcze.

No cóż, szybko się przekonałam, że dzielenie się takimi informacjami może człowiekowi odebrać sporo popularności w czasie przyjęć urodzinowych w stylu Śpiącej Królewny. Albo w restauracji stylizowanej na czasy średniowieczne. Albo w czasie zabaw w lochy i smoki.

Ale co ja mam niby zrobić, milczeć? Naprawdę nic nie mogę na to poradzić, nie umiem tak po prostu siedzieć i się zachwycać:

– No jasne, wtedy było po prostu świetnie. Szkoda, że nie mogę się przenieść do, powiedzmy, roku 900, pozwiedzać sobie i dostać wszy. I żeby mi się włosy całkiem zmierzwiły, bo nie znali wtedy odżywek przeciwko puszeniu. Aha, i przy okazji, jeśli dostałeś paciorkowca w gardle albo zapalenia oskrzeli, to umierałeś, bo nie było żadnych antybiotyków.

Hm, no tak się nie da.

Ale co tam. Skończyło się na tym, że skapitulowałam przed mamą. Nie w sprawie centrum handlowego. W sprawie biegania z tatą.

To zupełnie co innego niż wyjście do kina czy na zakupy. Zresztą ruch jest podobno znakomity dla osób w średnim wieku i bardzo się przyda mojemu tacie. W maju wygrałam okręgowe zawody na dwieście metrów kobiet, ale tata nie ćwiczył od czasu swojego corocznego badania kontrolnego. Czyli od zeszłego roku, kiedy lekarz powiedział mu, że powinien schudnąć z pięć kilo. Wtedy ze dwa razy wybrał się z moją mamą na siłownię, a potem się poddał, bo jak mówi, ten cały hałas na siłowni przyprawia go o szaleństwo.

Więc mama powiedziała:

– Ellie, jeśli będziecie razem biegać, dam ci spokój z tym leżeniem na wodzie.

Co rozstrzygnęło sprawę. No cóż, to i fakt, że tata miałby okazję podnieść sobie tętno – w *Today* powtarzają, że to jest bardzo potrzebne starszym osobom.

Jak przystało na naukowca, mama najpierw zbadała sprawę. Wysłała nas do parku, leżącego ze trzy kilometry od domu, który wynajmujemy. To bardzo ładne miejsce, jest tam wszystko: korty do tenisa, boisko do baseballu, pole do lacrosse'a, ładne, czyste publiczne toalety, dwa wybiegi dla psów – jeden dla dużych, drugi dla małych – no i, oczywiście, ścieżka do biegania. Żadnego basenu, jak w domu, w Como Park, ale pewnie ludziom w takiej ekskluzywnej okolicy nie jest potrzebny. Wszyscy mają własne w ogrodach za domem.

Wysiadłam z samochodu i zrobiłam parę ćwiczeń rozciągających. Ukradkiem przyglądałam się ojcu, który szykował się do biegania. Odłożył swoje okulary w drucianych oprawkach i założył takie grube, plastikowe z elastyczną opaską, którą zakłada sobie na głowę, żeby mu nie spadły w czasie biegania. Mama nazywa ją opaską idioty. (Bez okularów tata jest ślepy jak kret. W sumie w czasach średniowiecza pewnie zginąłby, zanim skończyłby trzy czy cztery lata. Wpadłby do jakiejś studni albo coś. Ja odziedziczyłam po mamie wzrok ostrości dwadzieścia na dwadzieścia, więc pewnie pożyłabym nieco dłużej).

– To ładna ścieżka do biegania – stwierdził tata, poprawiając opaskę idioty. W przeciwieństwie do mnie nie spędzał na basenie całych godzin, więc nie był ani odrobinę opalony. Nogi miał koloru papieru do pisania. Tylko owłosione. – Jedno okrążenie to dokładnie półtora kilometra. Trasa prowadzi przez lasek, coś w rodzaju arboretum, o tam. Widzisz? Więc nie cała jest wystawiona na słońce. Będzie trochę cienia.

Założyłam słuchawki. Nie umiem biegać bez muzyki, chyba że w czasie zawodów, kiedy na to nie pozwalają. Przekonałam się, że rap jest idealny do biegania. A im bardziej gniewny raper, tym lepiej. Idealnie się słucha Eminema, bo on jest wściekły na wszystkich. Poza swoją córką.

– Dwa okrążenia? – spytał tata.

– Jasne.

No więc włączyłam swojego mini-iPoda – zapinam go na ramieniu, kiedy biegam, ale wygląda to inaczej niż opaska idioty – i ruszyłam.

Na początku było trudno. W Marylandzie powietrze jest wilgotniejsze niż w domu, pewnie przez to, że morze jest tak blisko. Tutaj powietrze wydaje się ciężkie. Zupełnie jakby się biegło w zupie.

Po jakimś czasie poczułam, że ścięgna mi się rozluźniają. Zaczęłam sobie przypominać, jak bardzo lubiłam biegać tam w domu. Owszem, to trudne, ale nie zrozumcie mnie źle. Lubię to uczucie. Nogi poruszają się pode mną, silne i mocne, kiedy biegnę... Jakbym mogła zrobić wszystko. Absolutnie wszystko.

Na ścieżce prawie nikogo nie było. Gdzieniegdzie widziałam starsze panie z psami, uprawiające chodziarstwo, ale mijałam je pędem i zostawiałam daleko w tyle. W domu każdy się uśmiecha na widok kogoś nieznajomego. Tutaj ludzie robią to tylko wtedy, jeśli ty się do nich uśmiechniesz najpierw. Moi rodzice szybko do tego doszli. Teraz sami się uśmiechają – a nawet machają – do wszystkich, których mijają. A zwłaszcza do naszych nowych sąsiadów, kiedy ci wychodzą do ogrodu kosić trawniki. Wizerunek, tak to nazywa moja mama. Ważne jest, żeby podtrzymywać właściwy wizerunek, mówi. Żeby ludzie nie uznali nas za snobów.

Tyle że nie jestem pewna, czy obchodzi mnie to, co ludzie stąd sobie o mnie pomyślą.

Ścieżka do biegania zaczęła się jak każdy normalny tor. Po obu stronach była obłożona krótko przyciętą trawą, wiła się między boiskiem do baseballu i polem do lacrosse'a, a potem okrążała wybiegi dla psów i parking.

Trawniki szybko zostały z tyłu, a ścieżka znikła w zadziwiająco gęstym lesie. Tak, to był prawdziwy las, tu, w mieście. Obok ścieżki stał dyskretny mały brązowy znak: WITAMY W OKRĘGOWYM OGRODZIE DENDROLOGICZNYM IMIENIA ANNE ARUNDEL.

Minęłam tabliczkę. Byłam nieco zdziwiona, że tak bardzo pozwolono zarosnąć roślinności po obu stronach ścieżki. Zanurzając się w głęboki cień arboretum, zauważyłam, że liście na drzewach są tak gęste, że prawie nie przepuszczają słońca.

Krzaki po obu stronach ścieżki rosły bujnie i wyglądało na to, że mają ostre kolce. Byłam pewna, że są tam też tony sumaka jadowitego... w średniowieczu pewnie można by się nim było poparzyć na śmierć, bo wtedy nie znali jeszcze żadnego lekarstwa na uczulenia.

Las był tak gęsty, że pół metra od ścieżki widziałam tylko zbity kłąb drzew i jeżyn. W arboretum panował przyjemny chłód. Zimne krople potu spływały mi po twarzy i piersiach. Patrząc na te zarośla, ledwie mogłam uwierzyć, że nadal jestem blisko cywilizacji. Ale kiedy zdjęłam słuchawki, usłyszałam samochody na autostradzie za drzewami.

Poczułam ulgę. No wiecie, że nie zagubiłam się przypadkiem w Jurassic Park ani nic takiego.

Założyłam słuchawki i biegłam dalej. Teraz oddychałam już z trudem, ale nadal czułam się świetnie. Nie słyszałam, jak moje stopy uderzały o ścieżkę – zagłuszała to muzyka – ale przez jakąś minutę wydawało mi się, że jestem tu sama... Może w ogóle jestem jedyną osobą na świecie.

To było śmieszne, przecież wiedziałam, że za mną biegł tata – pewnie niewiele szybciej niż te panie uprawiające chodziarstwo, ale był gdzieś niedaleko.

Po prostu obejrzałam zbyt wiele filmów w telewizji. Wiecie, bohaterka biega sobie w parku, a jakiś psychopata wyskakuje zza krzaków – takich jak te rosnące po obu stronach mojej ścieżki – i ją atakuje. Nie zamierzałam tak ryzykować. Kto wie, co za świry kryją się w zaroślach? Z drugiej strony, to jest Annapolis, siedziba Szkoły Morskiej Marynarki Stanów Zjednoczonych i stolica stanu Maryland, i tak dalej – mało prawdopodobne, żeby w okolicy kręcili się jacyś niebezpieczni kryminaliści.

Ale nigdy nic nie wiadomo.

Dobrze, że mam takie silne nogi. Byłam całkiem pewna, że gdyby ktoś chciał na mnie napaść, mogłabym mu sprzedać niezłego kopniaka w głowę. A potem po nim skakać, póki nie nadejdzie pomoc.

I dokładnie w chwili, kiedy o tym pomyślałam, zobaczyłam tego faceta.

Rozdział 2

Osika drży, wierzba się gnie,
Lekki wiatr nad wzgórzami tchnie,
Fala jak zawsze chyżo mknie,
Rzeką wzdłuż wyspy białej, gdzie
Szlak wiedzie w dal do Camelot.

A może tylko mi się wydawało, że go widzę?

Nieważne. W każdym razie zauważyłam między drzewami coś, co nie było zielone ani brązowe, ani żadnego innego koloru występującego w naturze.

Widok zasłaniały mi gęste liście, ale byłam pewna, że ktoś stoi na dnie jaru, znajdującego się tuż obok ścieżki, w pobliżu sporego skupiska głazów. Jak tam się dostał przez te wszystkie zarośla bez maczety, nie miałam pojęcia. Może prowadziła tam jakaś ścieżka, której nie zauważyłam.

A jednak tam stał. Tyle że za szybko biegłam, żeby zobaczyć, co robił.

Chwilę później wybiegłam spomiędzy drzew na jaskrawe światło słońca. Minęłam parking. Jakieś kobiety wysiadały właśnie z minivana. Szły w stronę wybiegów dla psów ze swoimi owczarkami szkockimi. W pobliżu był plac zabaw. Dzieciaki huśtały się i zjeżdżały na zjeżdżalni, a rodzice pilnowali, żeby nic im się nie stało.

Czy ja to widziałam, czy mi się wydawało? Na dnie tamtego jaru ktoś stał, czy raczej wszystko to sobie tylko wyobraziłam?

Obok trzeciej bazy na boisku do baseballu dostrzegłam pracownika parku z nożycami do wycinania chwastów. Nie powiedziałam do niego: „Cześć". Ani się nie uśmiechnęłam.

Nie wspomniałam też o facecie na dnie jaru. Może powinnam była. No bo co z tymi dziećmi z placu zabaw? Co, jeśli to jakiś pedofil?

W każdym razie nic nie powiedziałam. Przebiegłam koło tego pracownika, starając się na niego nie patrzeć.

I tyle, jeśli chodzi o wizerunek.

Widziałam tatę, w jego jaskrawej żółtej koszulce, gdzieś daleko po drugiej stronie toru do biegania. Został za mną w tyle o trzy czwarte okrążenia. Nie ma sprawy. Jest powolny, ale solidny. Mama zawsze mówi, że dotrze do celu, chociaż na pewno nie zrobi tego szybko.

Mama może sobie żartować. Ona przecież nawet nie lubi biegania. Lubi chodzić na aerobik do Y.

Co, biorąc pod uwagę to, jakiego strachu się najadłam, mijając tego faceta w lesie, nie jest chyba takie głupie.

Tym razem, kiedy biegłam w stronę drzew, rozglądałam się na boki, szukając jakiejś ścieżki, którą ten mężczyzna mógł zejść na dno jaru. Niczego nie zauważyłam.

A kiedy mijałam miejsce, gdzie widziałam go poprzednio, jar był pusty. Już go tam nie było. Ani jego, ani żadnego śladu, że ktoś tam w ogóle stał. Może ja naprawdę tylko wyobraziłam sobie tę całą sytuację? Może mama miała rację i powinnam tego lata spędzać mniej czasu w basenie, a więcej w centrum handlowym. Martwiłam się, że zaczynam dziwaczeć, bo w ogóle nie spotykam się z ludźmi w moim wieku.

I wtedy minęłam zakręt i omal na niego nie wpadłam.

A więc niczego sobie nie wymyśliłam.

Były z nim jeszcze dwie osoby. Chłopak i dziewczyna, mniej więcej w moim wieku. Oboje mieli jasne włosy i byli bardzo atrakcyjni. Stali po obu stronach faceta z jaru... Kiedy przyjrzałam mu się uważniej, stwierdziłam, że wcale nie był dorosły. Miał tyle lat co ja albo niewiele więcej. Był wysoki i miał ciemne włosy, znów tak jak ja.

Ale w przeciwieństwie do mnie nie oblewał się potem i nie walczył o każdy oddech.

Aha, i był naprawdę przystojny.

Wszyscy troje byli zaskoczeni, kiedy nadbiegłam. Jasnowłosy chłopak coś powiedział, a dziewczyna miała zmartwioną minę... Może dlatego, że prawie na nich wpadłam.

Tylko ten ciemnowłosy chłopak uśmiechnął się do mnie. Spojrzał mi prosto w oczy i coś powiedział.

Nie wiem co, bo miałam na uszach słuchawki i go nie usłyszałam.

Ale z jakiegoś powodu – nie mam pojęcia dlaczego – odpowiedziałam uśmiechem. I nie ze względu na wizerunek czy inne takie. To było dziwne. On uśmiechnął się do mnie, a moje usta automatycznie zrobiły to samo – mózg nie miał z tym nic wspólnego. To nie była świadoma decyzja.

Po prostu to zrobiłam. Jakby to był jakiś nawyk czy coś. Jakbym codziennie odpowiadała w ten sposób na jego uśmiech.

A przecież nigdy wcześniej go nie spotkałam. Dlaczego się tak zachowałam?

Ulżyło mi, kiedy ich minęłam. Chciałam uciec od tego uśmiechu, który kazał mi zrobić to samo, chociaż wcale tego nie chciałam. Nie do końca.

Zobaczyłam ich jeszcze raz, kiedy się opierałam o maskę naszego samochodu, ciężko dysząc i dopijając jedną z butelek wody, które mama kazała zabrać nam z sobą. Wyszli zza drzew – dwóch chłopaków i dziewczyna – i skierowali się do samochodów. Blondynka i ten drugi chłopak mówili coś szybko do kolegi. Byłam zbyt daleko, żeby coś usłyszeć, ale – sądząc z ich min – chyba mieli do niego jakieś pretensje. Jedną rzecz widziałam wyraźnie – chłopak już się nie uśmiechał.

Wreszcie powiedział coś, co chyba ugłaskało jasnowłosą parę, bo przestali mieć te zmartwione miny.

A potem blondyn wsiadł do jeepa, a ten drugi usiadł za kierownicą białego land cruisera... Jasnowłosa dziewczyna zajęła miejsce pasażera obok niego. Zaskoczyło mnie to, bo wydawało mi się, że ona i ten przystojny blondyn są parą. Tyle że mam raczej niewielkie doświadczenie, jeśli chodzi o chłopców, i trudno nazwać mnie ekspertką w tej dziedzinie.

Siedziałam na masce naszego samochodu, zastanawiając się, czego byłam przed chwilą świadkiem. Sprzeczki zakochanych? Jakiejś transakcji narkotykowej? Tata podszedł do mnie na niepewnych nogach.

– Wody – wychrypiał. Dałam mu drugą butelkę.

Dopiero kiedy wsiedliśmy do samochodu, a klimatyzacja ruszyła, ustawiona na maksimum, tata zapytał:

– No jak? Dobrze ci się biegało?

– Tak – odparłam, nieco zaskoczona.

– Chcesz to jutro powtórzyć?

– Jasne. – Wpatrywałam się w miejsce, gdzie po raz ostatni widziałam tamtą trójkę, ale już dawno stamtąd zniknęli.

– Świetnie – powiedział tata głosem pozbawionym jakiegokolwiek entuzjazmu.

Widać było, że miał nadzieję, iż odmówię. Ale nie mogłam tego zrobić. I to nie dlatego, że wreszcie sobie przypomniałam, jak bardzo lubię biegać. Ani dlatego, że dobrze się bawiłam w towarzystwie taty.

Chodziło o to, że – no dobra, przyznam się do tego – miałam nadzieję, że zobaczę jeszcze raz tego przystojnego chłopaka. I jego uśmiech.

Rozdział 3

Czterech baszt szarość murów strzeże,
Pod nimi łąka w kwiatach leży,
A na samotnej wyspie, w wieży,
Pani na Shalott.

Ale go nie zobaczyłam. A przynajmniej nie w parku. I nie następnego tygodnia. Tata i ja codziennie jeździliśmy biegać – mniej więcej o tej samej porze, co tego pierwszego dnia – ale nie zobaczyłam już nikogo na dnie jaru.

A przecież patrzyłam. Wierzcie mi, rozglądałam się uważnie.

Myślałam o nich – o tej trójce, którą widziałam – i to dużo. Bo to pierwsze osoby w moim wieku, które spotkałam w Annapolis – poza tymi, które pracują w Graul's, miejscowym sklepie, gdzie kupujemy torby na śmieci i pieczywo, albo obsługują stoliki w Red Hot and Blue.

Czy ten jar, zastanawiałam się, to jakieś lokalne miejsce, gdzie ludzie chodzą się całować?

Ale ciemnowłosy chłopak z nikim się nie całował, kiedy go tam zobaczyłam.

To może dzieciaki chodzą tam zażywać narkotyki?

Ale on nie był naćpany. I ani on, ani jego znajomi nie wyglądali na narkomanów. Nosili normalne ubrania, szorty khaki i T-shirty. Żadne z nich nie miało tatuażu ani piercingu.

Nie zanosiło się na to, żebym miała niedługo poznać odpowiedzi na któreś z tych pytań. Zresztą nasze dni biegania w Parku Anne Arundel – i mojego leżenia na wodzie w basenie – i tak dobiegały końca. Zaczynała się szkoła.

Oczywiście, zawsze marzyłam, żeby trzeci rok liceum zacząć jako nowa uczennica w szkole w jakimś odległym od domu stanie, gdzie nikogo nie znałam.

Pierwszy dzień w liceum Avalon wcale nie był taki zwyczajny. To była inauguracja. W zasadzie tylko wyznaczano nam plan lekcji i szafki, i inne takie. Żadnego wytężania mózgownic, pewnie po to, żeby nam jakoś ułatwić powrót do szkolnej rutyny.

Liceum Avalon było mniejsze niż moja dawna szkoła, ale lepiej wyposażone i zamożniejsze, więc raczej nie miałam na co się skarżyć. Mieli tam nawet mały przewodnik dla uczniów, który rozdawali pierwszego normalnego dnia nauki, z małą fotografią i krótką notatką na temat każdego ucznia. W czasie inauguracji musiałam pozować do zdjęcia – ja i dwustu innych rozchichotanych trzecioklasistów, huraaa… – a potem wypełnić formularz, w którym pytano o nazwisko, e-mail (gdybym go chciała ujawnić) oraz zainteresowania, żeby mogli te informacje umieścić w przewodniku. Dzięki temu mieliśmy się nawzajem poznać.

Moi rodzice byli bardzo podekscytowani tym, że idę do nowej szkoły. Oboje wstali wcześnie i zrobili mi naprawdę obfite śniadanie i duży lunch. Śniadanie było w porządku – gofry z zamrażarki, które się tylko trochę przypaliły – ale lunch okazał się porażką: kanapka z masłem orzechowym i galaretką, a na dodatek sałatka ziemniaczana. Nie miałam serca mówić im, że ta sałatka koszmarnie mi się nagrzeje w szafce, zanim w ogóle zdążę się do niej zabrać. Moi rodzice, jako mediewiści, nie myślą o przechowywaniu jedzenia w lodówkach.

Wzięłam torbę, którą mi z dumą wręczyli, i powiedziałam tylko:

– Dzięki, mamo, dzięki, tato.

Zawieźli mnie do szkoły tego pierwszego dnia, bo im powiedziałam, że nazbyt się denerwuję, żeby jechać autobusem. Wszyscy troje wiedzieliśmy, że to nieprawda. W gruncie rzeczy bałam się trochę, że nie będę miała koło kogo usiąść. Nikt nie chce siedzieć obok kogoś obcego w szkolnym autobusie.

Moim rodzicom to chyba nie przeszkadzało. Podrzucili mnie do szkoły po drodze do BWI, miejscowej stacji kolejowej. Zdecydowali się pójść za ciosem i pojechać do miasta na konsultacje z innymi mediewistami w sprawie swoich książek – mama chciała podyskutować o Elaine z Astolat, a tata o swoim mieczu.

Powiedziałam im, żeby się grzecznie bawili z innymi profesorami, a oni kazali mi się grzecznie bawić z innymi dzieciakami z liceum.

A potem weszłam do szkoły.

To był taki typowy pierwszy dzień – a przynajmniej jego pierwsza połowa. Nikt się do mnie nie odzywał, więc ja też nie odzywałam się do nikogo. Kilku nauczycieli zrobiło spore zamieszanie z faktu, że jestem nowa i że pochodzę z tego egzotycznego zakątka, jakim jest Minnesota. Kazali mi opowiadać o sobie i o swoim rodzinnym stanie.

Opowiadałam.

Nikt nie słuchał. A jeśli słuchali, to nic ich to nie obchodziło.

Nie ma sprawy, bo szczerze mówiąc, sama też nie przejmowałam się tym wszystkim.

Lunch to najbardziej przerażający moment dla każdego nowego. Trochę już do tego przywykłam po poprzednich urlopach naukowych. Na przykład wiedziałam, że jeśli zabiorę swoją papierową torbę i zaszyję się samotnie w bibliotece, to na całą resztę roku przylgnie do mnie etykietka potwornego nieudacznika. Tak było w Niemczech.

Więc zamiast tego wzięłam głęboki oddech i poszukałam wzrokiem stolika, przy którym siedziałyby jakieś wysokie dziewczyny, typowe kujonki takie jak ja. A kiedy znalazłam taki stolik, podeszłam, żeby się przedstawić. Bo w zasadzie to właśnie trzeba zrobić. Czułam się jak totalna idiotka, ale powiedziałam, że jestem nowa, i spytałam, czy mogę się dosiąść. Dzięki Bogu, posunęły się i zrobiły mi miejsce. Tego właśnie możesz się spodziewać po wysokich kujonkach, gdziekolwiek byś się znalazła.

Jasne, mogły mi powiedzieć, żebym spadała. Ale nie zrobiły tego. Zaczynałam myśleć, że liceum Avalon może nie będzie jednak takie złe.

Przekonałam się o tym zaraz po lunchu – wtedy wreszcie go zobaczyłam. To znaczy, chłopaka z tamtego jaru.

Przeglądałam swój plan lekcji, usiłując przypomnieć sobie, gdzie jest sala 209, kiedy wybiegł zza rogu i praktycznie na mnie wpadł. Od razu go rozpoznałam. Nie tylko dlatego, że jest taki wysoki, a wcale nie ma aż tak wielu facetów, którzy byliby ode mnie wyżsi, ale dlatego, że ma taką wyrazistą twarz. Niezupełnie przystojną, ale atrakcyjną. I miłą, o zdecydowanych rysach.

A najdziwniejsze było to, że on też mnie chyba rozpoznał, chociaż widział mnie może przez pięć sekund tamtego dnia w parku.

– Cześć – powiedział, uśmiechając się nie tylko ustami, ale też tymi ciemnymi oczami.

Tylko „cześć". To wszystko.

Ale to było takie „cześć", od którego serce w piersi fiknęło koziołka.

Zresztą może chodziło o jego oczy, a nie o samo „cześć". A może to po prostu była jedyna znajoma twarz w morzu ludzi, których nigdy nie widziałam na oczy.

Tyle że... No cóż, obok niego stała dziewczyna – ta sama blondynka, z którą wtedy odjechał – a na jej widok serce mi wcale nie podskoczyło.

Pewnie dlatego, że skubała go za rękaw i mówiła:

– Ale ja powiedziałam Lance'owi, że spotkamy się z nim w Dairy Queen po treningu.

Na co on objął ją ramieniem.
– Jasne, świetny pomysł.
A potem oboje mnie minęli i znikli w tłumie na korytarzu.
Wszystko to potrwało jakieś dwie sekundy. No dobra, trzy.
Ale poczułam się tak, jakby mnie ktoś kopnął w żołądek. A to w sumie do mnie niepodobne. Nie jestem taka. No wiecie, w typie: O mój Boże, on na mnie popatrzył, nie mogę złapać tchu. To Nancy jest romantyczką, ja jestem praktyczna.
Dlatego to było zupełnie bez sensu, że kiedy tylko wpadłam na swoją lekcję, wyszarpnęłam z torby swój egzemplarz przewodnika i zaczęłam go gorączkowo przeglądać, aż znalazłam zdjęcie tego chłopaka. Nie zwracałam najmniejszej uwagi na listę lektur z literatury powszechnej, którą usiłował omówić z nami nauczyciel.
Był o rok ode mnie starszy, w maturalnej klasie. Nazywał się A. William Wagner, ale wszyscy mówili na niego zwyczajnie Will.
Pomyślałam, że to do niego pasuje. Wyglądał właśnie jak Will.
Nie żebym wiedziała, jak powinien wyglądać taki Will. Ale nieważne.
Według przewodnika A. William Wagner był niezłą gwiazdą. Grał w szkolnej drużynie futbolowej, był finalistą kilku krajowych olimpiad i przewodniczącym samorządu najstarszego rocznika. Interesował się żeglarstwem i lubił czytać.
Nie napisali, czy Will ma dziewczynę, ale za każdym razem widziałam go z tą samą oszałamiającą blondynką. A przed chwilą objął ją ramieniem, a ona mówiła mu o spotkaniu się z kimś w Dairy Queen po treningu. Musiała być jego dziewczyną.
Faceci tacy jak A. William Wagner zawsze mają jakąś dziewczynę. Nie trzeba być kimś praktycznym, jak ja, żeby to wiedzieć.

Ponieważ nie miałam nic lepszego do roboty – pan Morton, nasz nauczyciel literatury powszechnej, usiłował nas zainteresować legendami celtyckimi, co by mnie pewnie zafrapowało, gdybym nie żyła i nie oddychała legendami celtyckimi za każdym razem, kiedy znajdę się w towarzystwie moich rodziców – wyszukałam w przewodniku również tę jego dziewczynę. Znalazłam jej zdjęcie w moim roczniku. Nazywała się Jennifer Gold. Lubiła robić zakupy i, co za niespodzianka, lubiła A. Williama Wagnera.

Była czirliderką.

No jasne.

Przeglądałam przewodnik, szukając blondyna, którego widziałam z Willem i Jennifer tamtego dnia w parku, ale go nie znalazłam. Może dlatego, że wszyscy przystojni, jasnowłosi chłopcy wyglądają tak samo. A może wcale nie chodził do Avalonu albo był chory tego dnia, kiedy robili zdjęcia do przewodnika. Kto wie?

W sumie pierwszy dzień w szkole nie był taki zły. Nawet zawarłam parę nowych znajomości. Okazało się, że dziewczyny, do których przysiadłam się na lunchu, trenują na bieżni. Jedna z nich, Liz, mieszkała przy tej samej ulicy, co ja. Powiedziała, że rano widziała mnie z okna autobusu.

Kiedy wyszłam ze szkoły i zobaczyłam rodziców siedzących w samochodzie, wcale nie odetchnęłam z ulgą. Po prostu wsiadłam do auta i powiedziałam żartobliwie:

– Janie, do domu!

W drodze powrotnej pytali, jak mi minął dzień. Odpowiedziałam, że fajnie, i zapytałam, jak im poszło. Mama zaczęła opowiadać o jakimś nowym tekście, który znalazła. Rzeczywiście jest tam mowa o Elaine – nie o mnie, ale o maminej Elaine – i o legendach arturiańskich. W dodatku całość jest zupełnie niezwiązana ze słynnym poematem Tennysona na jej temat. Sami rozumiecie, że to niesłychanie ciekawe. Prawda?

A tata opowiadał o tym swoim mieczu, aż mi oczy zaczęły łzawić z nudów.

Ale słuchałam uprzejmie, bo tak trzeba.

A potem, kiedy dojechaliśmy do domu, poszłam do swojego pokoju, włożyłam bikini, zeszłam na dół i usadowiłam się na swoim materacu.

Mama wyszła na taras nieco później. Spojrzała na mnie.

– Ty to robisz dla żartu, prawda? – spytała. – Myślałam, że mamy to już z głowy, skoro szkoła się zaczęła.

– Daj spokój, mamo – powiedziałam. – Chcę się po prostu nacieszyć basenem. Niedługo lato się skończy i będziemy musieli go zasłonić.

Mama pokręciła głową i wróciła do środka.

Z powrotem położyłam się na materacu i zamknęłam oczy. Słońce jeszcze mocno grzało, chociaż było już po trzeciej. Miałam lekcje do zrobienia. Pierwszego dnia szkoły! Miałam rację, co do tego pana Mortona, nauczyciela literatury powszechnej... Kiepsko wykładał, a na dodatek uwielbiał zadawać wypracowania. No cóż, akurat to mogło poczekać do obiadu. Były też e-maile od moich przyjaciół z Minnesoty, na które trzeba było odpisać. Nancy błagała, żebym ją zaprosiła w odwiedziny. Nigdy jeszcze nie była na Wschodnim Wybrzeżu, a co dopiero wspominać o domu z własnym basenem. Powinna się pośpieszyć z tym przyjazdem, bo niedługo będzie za zimno na pływanie.

Pilnowałam, żeby pływać na materacu w ściśle określony sposób. Trzymałam się środka basenu w kształcie nerki. A jeśli materac przesunął się zbyt blisko jednego z brzegów, odpychałam się stopą. Właściciel domu umieścił dokoła basenu kilkanaście kamiennych głazów. Pewnie chciał, żeby wyglądało to jak naturalny staw. Tyle że w naturze raczej nie ma stawów z chlorowaną wodą i filtrami, ale nieważne.

W każdym razie trzeba było uważać, odpychając się od tych skał, bo na jednym naprawdę wielkim głazie mieszkał sobie olbrzymi pająk – wielkości mojej pięści. Parę razy, kiedy nie patrzyłam, gdzie stawiam stopę, omal go nie rozgniotłam. Nie chciałam go zabić, zupełnie tak, jak węża, no i, oczywiście, nie miałam specjalnej ochoty, żeby mnie ugryzł i wysłał na pogotowie.

Więc zawsze otwierałam oczy, kiedy materac podpływał do brzegu basenu, tylko po to, żeby się upewnić, że nie rozkwaszę pająka.

Tego popołudnia – pierwszego dnia szkoły – kiedy mój materac lekko uderzył o brzeg basenu, a ja otworzyłam oczy, żeby sprawdzić, od czego się odpycham, pomyślałam, że umrę ze strachu.

Bo na szczycie Skały Pająka stał A. William Wagner i patrzył na mnie.

Rozdział 4

Miał rycerz czoło gładkie, jasne,
Czerń loków okrył hełmu kaskiem.
Rumak olśniewał podków blaskiem,
Gdy jechał z pierwszym słońca brzaskiem
Drogą do zamku w Camelot.

Wrzasnęłam i o mały włos nie spadłam z materaca.

– Och, przepraszam – powiedział Will. Uśmiechał się, ale kiedy wrzasnęłam, przestał. – Nie chciałem cię przestraszyć.

– C-co ty tu robisz? – wyjąkałam. Nie mogłam uwierzyć, że on tak po prostu... No cóż, stoi tam. Obok mojego basenu. Na Skale Pająka.

– Hm – powiedział Will, nieco teraz zmieszany. – Pukałem do drzwi. Twój tata powiedział, że jesteś tutaj, i pozwolił mi wejść. Czy to jakiś niedobry moment? Jeśli tak, mogę przyjść kiedy indziej.

Patrzyłam na niego kompletnie osłupiała. Nie wierzyłam, że to się dzieje naprawdę. Przez szesnaście lat mojego życia żaden chłopak nie zwrócił na mnie najmniejszej uwagi. A tu, bez najmniejszego ostrzeżenia, najprzystojniejszy facet, jakiego w życiu widziałam, jakby nigdy nic pojawia się u mnie w domu. Najwyraźniej po to, żeby mi złożyć wizytę.

No bo z jakiego innego powodu by tu przyszedł?

– Skąd... Skąd wiedziałeś, gdzie mieszkam? – spytałam go. – Skąd w ogóle wiedziałeś, kim jestem?

– Przewodnik dla uczniów – powiedział. A potem zobaczył, że naprawdę się przestraszyłam, i dodał: – Słuchaj, przepraszam, że tak cię zaskoczyłem. Nie chciałem. Po prostu pomyślałem... No cóż, nieważne. I wiesz co? Chyba się pomyliłem.

– W czym się pomyliłeś? – zapytałam. Serce nadal mocno waliło mi pod bikini. Przeraził mnie o wiele bardziej niż kiedykolwiek ten pająk, który mieszka na skale.

Ale serce waliło mi tak szybko nie tylko ze strachu. On po prostu wyglądał niesamowicie przystojnie, kiedy stał na tym głazie, a słońce rozświetlało jego ciemne włosy.

– W niczym – powiedział. – Ja tylko... No bo uśmiechnęłaś się do mnie tamtego dnia w parku tak, jakbyś...

– Jakbym co? – zapytałam swobodnie, ale w środku wszystko mi drżało. Po pierwsze, bo w ogóle mnie pamiętał. Naprawdę! Po drugie, bo nie tylko mnie się to przytrafiło. To znaczy, z tym uśmiechem. On też to poczuł!

A może nie.

– Słuchaj, już nieważne – powiedział Will. – To takie głupie. Kiedy cię zobaczyłem, najpierw w parku, a potem znów dzisiaj, wydawało mi się, że... Sam nie wiem. Że już się kiedyś spotkaliśmy czy coś. Ale to przecież niemożliwe. To znaczy, teraz to rozumiem. A przy okazji, jestem Will. Will Wagner.

Nie zdradziłam się, że sprawdziłam go w ten sam sposób, w jaki on wyszukał mnie, i już znam jego imię. Nie chciałam, żeby sobie pomyślał, że na niego lecę czy coś. Zresztą jak mogłabym to zrobić? Widziałam go raptem dwa razy. Trzy, licząc tę wizytę. Nie można lecieć na kogoś, kogo się widziało raptem trzy razy. To znaczy, można, jeśli jest się taką Nancy. Ale nie można, kiedy jest się osobą tak praktyczną, jak ja.

– Jestem Ellie – powiedziałam. – Ellie Harrison. Ale w sumie... Chyba już o tym wiesz.

Spojrzenie niebieskich oczu wróciło do mnie, ale tym razem nie wydawało się już tak intensywne. Poza tym Will szeroko się uśmiechał.

– Doskonale wiem – odparł.

Naprawdę był bardzo przystojny. Wcale się tak często nie zdarzało, żeby jakiś przystojny facet mnie zauważył. A już na pewno nie odwiedził mnie w domu. Nie jestem brzydka, ale żadna ze mnie Jennifer Gold. Ona należy do dziewczyn typu: Ach, jestem taka mała i bezradna, proszę, uratuj mnie, wielki, dzielny mężczyzno. W takich dziewczynach zakochują się wszyscy przystojni chłopcy w szkole... Za to mnie staruszki zaczepiają w sklepie spożywczysm i proszą: Kochanie, możesz mi zdjąć puszkę z tej wysokiej sklepowej półki?

Co w sumie należałoby tłumaczyć na: Niewidzialna dla Chłopców.

– Dopiero się tu przeprowadziłam – powiedziałam. – Z St. Paul. Nigdy jeszcze nie byłam na Wschodnim Wybrzeżu. Więc nie wiem, jak moglibyśmy się spotkać... Chyba że... – Spojrzałam na niego niepewnie. – Byłeś kiedyś w St. Paul?

Co przecież było idiotyczne, bo gdyby tam był, to bym go zapamiętała.

Możecie mi wierzyć, że na pewno bym to zrobiła.

– Nie – odpowiedział z szerokim uśmiechem. – Nigdy tam nie byłem. Posłuchaj, serio, zapomnij, że coś mówiłem. Ostatnio działy się takie naprawdę dziwne rzeczy i ja po prostu...

Mina mu spochmurniała, na króciutką chwilę, zupełnie jakby na jego twarz padł jakiś cień.

Tyle że na niebie nie było ani jednej chmurki.

Otrząsnął się z ciemnych myśli, które go dopadły, i powiedział pogodnie:

– Poważnie, nic się tym nie przejmuj. Zobaczymy się w szkole.

Zawrócił, jakby miał zamiar zeskoczyć ze Skały Pająka i odejść. Niemal słyszałam głos mojej najlepszej przyjaciółki, Nancy. Wrzeszczał mi w głowie: „Nie pozwól mu odejść, ty idiotko! On jest cudowny! Zatrzymaj go jakoś!"

– Czekaj – powiedziałam.

Obrócił się. Wtedy usłyszałam, jak otwierają się przesuwane szklane drzwi. Sekundę później moja mama zawołała w stronę tarasu:

– Ellie, a może twój kolega chciałby pożyczyć sobie kąpielówki i też popływać? Jestem pewna, że jakieś spodenki Geoffa będą na niego pasowały.

O mój Boże. Mój kolega. Byłam pewna, że umrę. Poza tym on ma popływać? Ze mną? Nie miała pojęcia, że mówi do jednego z najpopularniejszych chłopaków w liceum Avalon ani że on się spotyka z jedną z najładniejszych dziewczyn z tej szkoły.

Mimo wszystko to żadna wymówka. I tak narobiła mi wstydu.

– Uch, nie, mamo! – odkrzyknęłam. Spojrzałam na Willa przepraszająco i przewróciłam oczami, na co odpowiedział szerokim uśmiechem. – Nic nam nie trzeba.

– W sumie – odezwał się Will, spoglądając na mamę – muszę już iść...

Domyślałam się, że powie coś takiego. „Muszę już iść" albo „Ale się nabrałem", albo nawet: „Przepraszam, pomyliłem domy".

Bo chłopcy tacy jak Will nie kręcą się koło takich dziewczyn jak ja. To się po prostu nie zdarza. Najwyraźniej Will wziął mnie za kogoś innego. Może za dziewczynę, którą poznał na wakacjach, albo inną, która mu się podobała, kiedy miał osiem lat. A teraz, kiedy okazało się, że się pomylił, po prostu sobie pójdzie.

Tak to powinno wyglądać w uporządkowanym wszechświecie.

Ale widocznie wszechświat zachwiał się w posadach i nikt mnie o tym nie powiadomił, bo Will dokończył zdanie:

– Chociaż chętnie bym popływał.

Jakieś trzy minuty później, wbrew wszystkim prawom prawdopodobieństwa, Will wyszedł ode mnie z domu w luźnych szortach kąpielowych Geoffa, z ręcznikiem na szyi. Niósł szklanki z lemoniadą – mama skądś ją wytrzasnęła – i przyklęknął na brzegu basenu, żeby mi jedną podać.

– Szybka, niezawodna dostawa – powiedział i mrugnął okiem, kiedy odbierałam od niego plastikową szklankę. Jeśli poczuł, tak jak ja, że po ramieniu przebiegł mu prąd, kiedy nasze palce przypadkowo się zetknęły, nie dał tego po sobie poznać.

– O mój Boże – powiedziałam, biorąc do ręki szklankę, która już zaczynała się oszraniać. Zagapiłam się na niego. Miał, co mnie zupełnie nie zdziwiło, fantastyczne ciało. Był opalony na brąz, bez wątpienia od żeglowania, i cudownie umięśniony. Ale nie w taki paskudny sposób, jak po sterydach.

I był na moim basenie.

Był na moim basenie!

– Czy ona… – Byłam tak zszokowana, że nie potrafiłam wymyślić żadnego mądrzejszego pytania. – Czy ona z tobą rozmawiała?

– Kto? – spytał Will, rozkładając się na materacu Geoffa. – Twoja mama? Tak. Jest bardzo miła. To pisarka?

– Jest wykładowcą uniwersyteckim. – Wargi mi zdrętwiały, kiedy to mówiłam. Nie od kostek lodu w moim napoju, tylko na myśl o Willu Wagnerze sam na sam w domu z moimi rodzicami. A ja, zbyt osłupiała z przerażenia, żeby się ruszyć ze swojego materaca, leżałam w basenie i nie zrobiłam nic, żeby go wyratować. – Oboje wykładają.

– Och, cóż, to wszystko wyjaśnia – powiedział Will lekko.

Moja krew miała w tej chwili temperaturę lodu w lemoniadzie. Co oni nawyrabiali? Co powiedzieli? Za wcześnie było na *Va banque*, więc nie mogło chodzić o to.

– Co wyjaśnia?

– Twoja mama zacytowała jakiś poemat, kiedy jej się przedstawiłem – powiedział Will, kładąc głowę na materacu i patrząc w niebo przez swoje raybany. Cokolwiek mama mu powiedziała, najwyraźniej wcale się tym nie przejął. – Coś o gładkim, jasnym czole.

Żołądek mi się przewrócił.

– Miał rycerz czoło gładkie, jasne? – spytałam nerwowo.

– Tak. Właśnie. A o co chodzi?

– O nic. – Przysięgłam sobie w duchu, że zabiję mamę własnymi rękami. – To fragment poematu, który lubi, *Pani na Shalott* Tennysona. Mama wzięła roczny urlop, żeby napisać książkę o Elaine z Astolat, więc teraz świruje nieco bardziej niż zwykle.

– To musi być super – stwierdził Will. Jego materac niebezpiecznie zbliżał się do Skały Pająka, chociaż on, oczywiście, nie był świadomy zagrożenia. – Fantastycznie mieć rodziców, którzy rozmawiają o poezji i książkach, i innych takich.

– Och, nie masz pojęcia jak – powiedziałam to najbardziej bezbarwnym głosem, na jaki mogłam się zdobyć.

– A jak brzmiała reszta? – spytał Will.

– Reszta czego?

– Poematu.

Normalnie żywcem jej nie daruję.

– „Miał rycerz czoło gładkie, jasne – zacytowałam z pamięci. Przecież słyszałam to z siedemdziesiąt razy tylko w ostatnim tygodniu. – Czerń loków okrył hełmu kaskiem. Rumak olśniewał podków blaskiem, gdy jechał z pierwszym słońca brzaskiem drogą do zamku w Camelot". To głupi wiersz. Na końcu ona umiera i dryfuje w łodzi. A czy ty czasem nie miałeś dziś po treningu spotkać się z kimś w Dairy Queen?

Will zerknął na mnie, zaskoczony. Nic dziwnego, sama byłam zdziwiona. Nie mam pojęcia, dlaczego go o to spytałam. Pytanie po prostu domagało się, żeby je zadać.

– Chyba tak – odparł Will. – Skąd wiedziałaś?

– Bo słyszałam jak Jennifer cię o to pytała, kiedy was widziałam dzisiaj na korytarzu w szkole – powiedziałam. Nancy dostałaby szału, gdyby usłyszała, że to mówię. Zaraz zaczęłaby mnie strofować: O mój Boże! Nie wygadaj się z tym, że wiesz o Jennifer! Bo wtedy on się zorientuje, że sprawdziłaś, jak się nazywa jego dziewczyna, i od razu domyśli się, że ci się spodobał!

Ale takie postępowanie wydawało mi się po prostu niepraktyczne.

Nancy nie spodobałyby się też moje następne słowa.

– To twoja dziewczyna, prawda? – spytałam, zerkając na niego, kiedy przepływał obok.

Nie spojrzał na mnie. Podniósł głowę, żeby upić łyk lemoniady, a potem znów ją oparł na poduszce materaca.

– Tak – powiedział. – Już ze dwa lata.

Chciałam właśnie zadać kolejne pytanie. Następne z tych, które mnie wydawały się naturalne, a które zdaniem Nancy zapewne było zupełnie nieodpowiednie. Ale zanim zdążyłam to zrobić, Will podniósł głowę, spojrzał na mnie i powiedział:

– Nie rób tego.

Zamrugałam powiekami, patrząc na niego zza swoich okularów słonecznych.

– Czego mam nie robić? – spytałam, bo wtedy jeszcze nie wiedziałam, że Will umie czytać w moich myślach.

– Nie pytaj mnie, co robię w twoim basenie i dlaczego nie jestem u niej – powiedział. – Sam tego nie wiem. Porozmawiajmy o czymś innym, dobrze?

Nie mieściło mi się w głowie, że to się rzeczywiście dzieje. Dlaczego tak niesamowicie przystojny chłopak pływa razem ze mną w basenie? Nie mówiąc już o tym, że czyta mi w myślach?

To wszystko było jakieś bez sensu.

W dodatku wcale nie byłam pewna, czy jemu też się to nie wydaje bezsensowne.

Więc go o to nie zapytałam, za to byłam ciekawa, co robił w jarze. Tam, gdzie go po raz pierwszy zobaczyłam, w parku.

– Och – powiedział Will, jakby się zdziwił, że w ogóle o to pytam. – Nie wiem. Po prostu czasem chodzę w różne miejsca.

W ten sam sposób mógłby odpowiedzieć na pytanie, co robi w moim basenie, zamiast być u swojej dziewczyny. Najwyraźniej był trochę stuknięty.

Tyle że wydawał się normalny. Fantastycznie mi się z nim rozmawiało. Zapytał mnie, dlaczego się wyprowadziliśmy z St. Paul. Kiedy mu opowiedziałam o urlopie naukowym, powiedział, że wie, jak to wygląda – to znaczy, sam się też często przeprowadzał. Jego tata służy w marynarce i stacjonował w wielu różnych miejscach. Will zmieniał szkoły mniej więcej co dwa lata, kiedy był młodszy, zanim wreszcie jego ojciec przyjął posadę wykładowcy w Szkole Morskiej.

Will opowiadał o liceum Avalon, o nauczycielach, których lubił, i o tych, na których powinnam uważać. Pan Morton – stwierdził ku mojemu sporemu zdumieniu – jest w porządku. Wspomniał Lance'a, czyli – jak zrozumiałam – tego jasnowłosego chłopaka, z którym widziałam go w parku, a który najwyraźniej był najlepszym przyjacielem Willa. Spędzili razem miesiąc wakacji. Popłynęli żaglówką w dół wybrzeża i z powrotem, tylko we dwóch.

Jedyną osobą, o której Will nie wspomniał ani razu, była Jennifer.

Nie żebym to liczyła.

Bez problemu mogę sobie wyobrazić, co o tym wszystkim powiedziałaby Nancy. Najwyraźniej w ich związku nie panuje sama radość i euforia. Bo niby czemu pływałby teraz w moim basenie, a nie jej?

I wcale sobie nie wyobrażałam, że on jest mną zainteresowany w ten specjalny sposób. Bo kto by chciał hamburgera, jeśli może zjeść *filet mignon*? Kiedy tak o sobie myślę, to – wbrew temu, co powiedziałaby Nancy – naprawdę nie staram się sobie dokopać. Ja po prostu jestem realistką. Chłopakom takim jak Will podobają się dziewczyny takie jak Jennifer. Małe blondyneczki, które instynktownie wiedzą, jaki cień do oczu najlepiej im pasuje. Patykowate brunetki, które nie boją się wyciągać węży z filtrów w basenie, po prostu nie mają szans.

Słońce zaczynało chować się za dom i prawie cały basen znajdował się już w cieniu, kiedy mama znów wyszła na taras i powiedziała, że zamówiła trochę tajskiego jedzenia. Spytała, czy Will chce zostać u nas na obiad.

Na co Will odparł, że z największą przyjemnością.

Okazał się idealnym gościem. Pomógł mi nakryć do stołu, a po obiedzie sprzątnąć. Zjadł wszystko ze swojego talerza. A kiedy moi rodzice oświadczyli, że najedli się po uszy, wyjadł wszystko, co zostało w kartonowych pojemnikach – ku wyraźnemu podziwowi mojego taty.

I był też miły dla Berka, kiedy kot podszedł do niego i zaczął obwąchiwać jego but. Pochylił się i wyciągnął palec, żeby go mógł obwąchać, zanim zdecyduje, czy pozwoli się pogłaskać, czy nie. Tylko ludzie, którzy spędzili trochę czasu z kotami, wiedzą, że tak właśnie wygląda kocia etykieta.

I nie śmiał się, kiedy mu powiedziałam, jak nazywa się nasz kot. To trochę żenujące, mieć domowe zwierzę o takim imieniu. Nadałam mu je, kiedy miałam osiem lat. Wtedy wydawało mi się, że Berek to najbardziej oryginalne i twórcze imię, jakie można dać kotu.

Ale kiedy wspomniałam o tym Willowi, uśmiechnął się i powiedział, że Berek to jeszcze nic w porównaniu z imieniem, jakie dał swojemu owczarkowi szkockiemu, kiedy miał dwanaście lat – Kawaler. Rzeczywiście to nieco dziwne imię dla owczarka szkockiego, jeśli się nad tym zastanowić. Zwłaszcza że ten owczarek należał do rodziny oficera marynarki wojennej.

W czasie obiadu Will opowiadał zabawne historie o Kawalerze i o żartach, jakie kadeci ze Szkoły Morskiej płatali sobie i swoim instruktorom. Wcale nie miał znudzonej miny, kiedy tata opowiadał mu o swoim mieczu ani wtedy, kiedy mama przytoczyła jeszcze kilka linijek z *Pani na Shalott*, co jej się niestety zdarza, kiedy do obiadu wypije kieliszek wina.

Nawet się zaśmiał, kiedy naśladowałam chłopaków ze sklepu Graul's i z mojego opowiadania o Wielkiej Wężowej Akcji Ratowniczej.

Nancy zawsze marszczy brwi, kiedy żartuję sobie z chłopakami. Mówi, że żaden chłopak nie zakocha się w kimś, kto wygłupia się przy nim jak klaun. „Jakim cudem on może dostrzec w tobie dziewczynę swoich marzeń – pyta zawsze Nancy – skoro cały czas trzyma się za brzuch ze śmiechu?"

I chyba ma trochę racji. Rzeczywiście, żaden chłopak się we mnie nie zakochał, pomijając Tommy'ego Meadowsa w piątej klasie, ale jego rodzina przeprowadziła się do Milwaukee zaraz po tym, jak wyznał mi dozgonne uczucie... Ta przeprowadzka, jak mi się teraz wydaje, mogła być właśnie tym, co sprowokowało go do wyznania – mój tata mówi, że zakochał się w mamie od pierwszego wejrzenia, bo na imprezie wydziałowej, na której się poznali, napisała sobie DEMOISELLE D'ASTOLAT na identyfikatorze z nagłówkiem: CZEŚĆ, NAZYWAM SIĘ..., który miała wpięty w klapę.

I wszyscy się z tego śmieli. Wiem, że to w sumie kiepski żart, ale przecież mediewiści się na tym nie znają...

Oczywiście, wcale nie próbowałam podrywać A. Williama Wagnera, bo przecież wiem, że on jest już zajęty.

Ale rzecz w tym, że kiedy ten cień padł na jego twarz przy basenie, pomyślałam, że śmiech dobrze mu zrobi. To wszystko.

Will wyszedł po obiedzie. Podziękował moim rodzicom, zwracając się do nich „szanowni państwo" – od czego zwinęłam się ze śmiechu – a potem rzucił do mnie: „No to do jutra, Elle".

A potem zniknął. Roztopił się w zapadającym zmierzchu zupełnie tak samo, jak znienacka pojawił się nad basenem. Jakby znikąd.

Mimo to czekałam na zewnątrz, póki nie usłyszałam, jak zatrzaskuje drzwi samochodu, i nie zobaczyłam tylnych świateł, kiedy jechał naszym długim podjazdem. To dowodziło, że nie jest żadnym duchem. Jak to określił pan Morton na dzisiejszej literaturze powszechnej? Ach, tak: *bocan*, celtyckie słowo na określenie ducha. Widzicie? Jednak uważałam w klasie. W pewnym sensie.

Elle. Nazwał mnie Elle. Po prostu... Elle. Skrót od Ellie.

Nikt mnie jeszcze nigdy nie nazywał Elle. Nikt. Tylko Ellie – co wydaje mi się dość dziecinnym imieniem. Albo Elaine, ale to jest z kolei takie pretensjonalne.

Ale nie Elle. Nigdy Elle. Ja przecież zupełnie do tego Elle nie pasuję.

No, w oczach A. Williama Wagnera najwyraźniej tak.

– No cóż – stwierdził mój tata, kiedy wróciłam do domu. – Wydaje mi się, że to miły chłopak.

– Will Wagner – powiedziała mama, włączając *Va Banque*. – Podoba mi się to nazwisko. Brzmi jakoś tak po królewsku.

O Boże. Już widziałam, do czego to wszystko zmierza. Wydawało się im, że ja mu się podobam. Uznali, że Will będzie moim chłopakiem czy coś. Nie mieli pojęcia – zielonego pojęcia – co się naprawdę działo.

No ale z drugiej strony, ja też tego nie wiedziałam. Prawdę mówiąc, gdyby ktoś mnie poprosił o wyjaśnienie, o co w tym wszystkim chodziło – to znaczy, dlaczego Will pojawił się na brzegu mojego basenu, a potem został na obiad – sama nie miałabym pojęcia, co mam powiedzieć. Jeszcze nigdy żaden chłopak nie zrobił dla mnie czegoś takiego... Nie wspominając już o tym, żeby któryś się śmiał ze wszystkich moich żartów.

Starałam się jednak nie robić z tego jakiejś wielkiej sprawy. Will był miły, ale miał dziewczynę. Ładną dziewczynę, czirliderkę.

O której najwyraźniej nie lubił rozmawiać.

Co, jak się nad tym zastanowić, jest dosyć dziwne.

W dodatku, kiedy Will pływał obok mnie na materacu, wcale nie wydawało mi się dziwne, że taki seksowny chłopak chce spędzić ze mną całe popołudnie. To było jak ten uśmiech, który mi posłał w parku – ten, którego nie mogłam nie odwzajemnić. W jakiś sposób wiedziałam, że to zupełnie naturalne – wręcz właściwe – żeby się uśmiechnąć w odpowiedzi. Teraz też wydawało się, że Will po prostu powinien tu być, wygłupiać się ze sztućcami, kiedy szykowaliśmy stół, i śmiać się z tego, jak naśladowałam chłopaka ze sklepu Graul's.

To właśnie było nie tak. To, że wcale się temu nie dziwiłam.

Kiedy Nancy zadzwoniła do mnie wieczorem, odebrał tata.

– Aaa, Nancy – powiedział. – Elaine ma ci wiele do opowiedzenia.

Nie próbowałam bagatelizować sprawy. Choć może powinnam. Ale wiedziałam, że Nancy opowie o tym wszystkim tam, w domu. O tym, że chłopak przyszedł do mnie na obiad mojego pierwszego dnia w nowej szkole. Zadbałam więc o to, żeby wspomnieć, że Will jest w drużynie futbolowej, że żegluje i że jest przewodniczącym samorządu klasy maturalnej.

Aha, i że wygląda bardzo, ale to bardzo dobrze w kąpielówkach.

Niemal widziałam, jak Nancy wije się po drugiej stronie.

– O mój Boże, i jest wyższy od ciebie? – chciała wiedzieć. To był zawsze pewien problem. Po prostu byłam wyższa od większości chłopaków ze szkoły, z wyjątkiem Tommy'ego Meadowsa.

– Ma metr osiemdziesiąt pięć – powiedziałam.

Nancy zagruchała aprobująco. Przy moim wzroście metr siedemdziesiąt pięć nadal będę mogła pozwolić sobie na obcasy, gdybyśmy się gdzieś razem wybierali.

– Poczekaj, aż powiem o tym Shelley – mówiła Nancy. – O mój Boże, Ellie, udało ci się. Udało ci się zacząć zupełnie nowe życie w nowej szkole i totalnie się zmienić. Teraz wszystko będzie ci się układało inaczej. Wszystko! A wystarczyło tylko przeprowadzić się do zupełnie innego stanu i zacząć chodzić do zupełnie innej szkoły.

Tak. Życie rzeczywiście zaczyna się rysować w jaśniejszych barwach.

Naprawdę tak myślałam.

Wtedy.

Rozdział 5

Lustro przeszyła niczym strzała
Wizja postaci lśniącej z dala.
Błysk słońca w liściach drzew ujrzała,
Zbroja wśród pól zamigotała,
Jechał przez las sir Lancelot.

Następnego dnia pojechałam do szkoły autobusem. Nie było tak źle, jak myślałam. Liz, dziewczyna z drużyny lekkoatletycznej czekała już na przystanku, więc zaczęłyśmy rozmawiać i skończyło się na tym, że usiadłyśmy obok siebie.

Liz skacze wzwyż. Od razu mi powiedziała, że jeszcze nie ma chłopaka ani prawa jazdy.

Wiedziałam, że same te dwa ostatnie fakty stanowią silną podstawę do zawarcia przyjaźni.

Nie wspomniałam Liz, że Will Wagner odwiedził mnie poprzedniego dnia po szkole, a potem został na obiad. Po pierwsze, nie chciałam, żeby to wyglądało, jakbym się przechwalała. A po drugie, no cóż, Liz chyba naprawdę lubiła opowiadać o różnych ludziach ze szkoły, a ja nie byłam pewna, czy chcę się tym chwalić. To znaczy tym, że Will przyszedł mnie odwiedzić.

Parę lekcji później przekonałam się, że byłby to naprawdę kiepski pomysł. Zamykałam właśnie swoją szafkę, gdy zobaczyłam, że po jej drugiej stronie stoi Jennifer Gold. Nie miała szczęśliwej miny.

– Podobno Will przyszedł wczoraj do ciebie do domu na obiad – powiedziała Jennifer mało przyjaznym tonem.

Ponieważ nikomu nie mówiłam, że u mnie był, wiedziałam, że to jemu zawdzięczam tę niedyskrecję. Chyba że Jennifer ma szpiegów w mojej okolicy, chociaż to się wydawało mało prawdopodobne.

Zastanawiałam się, dlaczego takim dziewczynom jak Jennifer zawsze trafiają się najwyżsi chłopcy, dla nas, żyraf, zostają same niziołki.

– Tak. Przyszedł.

Ale Jennifer nie powiedziała tego, czego się po niej spodziewałam. Nie powiedziała: „No cóż, to mój chłopak, więc ręce precz" ani „Spójrz tylko na niego jeszcze raz, a jesteś martwą kobietą".

Zamiast tego zadała mi pytanie:

– Mówił coś o mnie?

Spojrzałam na Jennifer, zastanawiając się, czy czasem, jak jej chłopak, nie cierpi na jakąś łagodną formę psychozy. Tylko w jej przypadku na pewno nie została ona wywołana sympatią dla mnie.

Wyglądała dość normalnie w jasnoróżowym sweterku-bliźniaku i spodniach do pół łydki. Ale trudno stwierdzić, czy ktoś jest szalony, tylko na podstawie sposobu, w jaki się ubiera. Czirliderki w mojej dawnej szkole nosiły całkiem przeciętne ciuchy, ale ze dwie z nich kwalifikowały się do leczenia w zakładzie zamkniętym.

– Hm – powiedziałam. – Nie.

– A o Lansie? – Jennifer zmrużyła swoje idealnie umalowane oczy. – Czy mówił coś o nim?

– Tylko to – odparłam – że we dwóch pożeglowali latem wzdłuż wybrzeża. A dlaczego pytasz?

Jennifer nie odpowiedziała. Widać było, że jej bardzo ulżyło.

– To dobrze – rzuciła.

A potem sobie poszła.

Ale Jennifer Gold nie była jedyną osobą, która tego dnia pytała mnie o Willa.

Pan Morton, nauczyciel literatury powszechnej, oświadczył, że w ramach zaliczenia pierwszej pracy półsemestralnej wyznacza każdemu z nas do przestudiowania jakiś poemat. Potem będziemy musieli wygłosić o nim referat. Przed całą klasą. Ocena za tę pracę miała stanowić dwadzieścia procent naszej ogólnej oceny na semestr. A sam referat musiał zawierać materiały krytyczne, poboczne i źródłowe, cokolwiek to znaczy.

I jakby już nie wyglądało to dość kiepsko, wyznaczył nam partnerów do pracy.

Wielkie dzięki, panie Morton.

Najpierw rozdał nam nazwiska partnerów. Kiedy dostałam swoje, uniosłam brwi ze zdziwienia.

Bo nazwisko mojego partnera brzmiało: Lance Reynolds.

Wydawało mi się to niemożliwe. Wczoraj sprawdziłam i byłam pewna, że nie mam z nim żadnych lekcji. No bo przecież on jest ode mnie o rok starszy, jak Will.

Ale rzeczywiście, kiedy się rozejrzałam, siedział tam, z tyłu klasy. Patrzył na karteczkę papieru, którą wręczył mu pan Morton, marszcząc złotawe brwi i usiłując zgadnąć, kim jest Elaine Harrison. Kiedy podniósł oczy i zobaczył, że mu się przyglądam, uniosłam własną karteczkę i powiedziałam bezgłośnie:

– To ja, szczęściarzu.

Zareagował zupełnie inaczej, niż spodziewałabym się po mięśniaku, któremu wyznaczono za partnera zbyt wysoką, nową dziewczynę. Zamiast szyderczego uśmieszku albo zwykłego skinienia głową zarumienił się głęboko. Wyglądało to dość interesująco.

A potem pan Morton rozdał nam poematy... *Beowulf*!

Podłamałam się, kiedy to zobaczyłam. Nie cierpię *Beowulfa* niemal tam samo jak *Va banque*.

– No dobrze, proszę państwa – powiedział pan Morton swoim suchym, brytyjskim akcentem. – Przysiądźcie się do partnera i przedyskutujcie swoje tematy. Do piątku chciałbym dostać od was szkic referatu.

Wstałam i przeszłam na tył klasy, gdzie siedział Lance. Było mało prawdopodobne, żeby sam miał do mnie podejść. Udawał, że nie widzi, jak się zbliżam, grzebiąc w swoich książkach i innych rzeczach, kiedy wślizgiwałam się na wolne siedzenie przy stoliku przed nim.

– Cześć – powiedziałam sztucznym głosem, jak z jakiejś reklamy. – Jestem Ellie, będziemy razem robić pracę półsemestralną.

Ale on sknocił sprawę. Usiłował udawać, że nie ma pojęcia, kim jestem, ale „Wiem" jakoś wyrwało mu się z ust. Zaczerwienił się jeszcze bardziej.

To było całkiem ciekawe. Nie przypominałam sobie, żeby przeze mnie jakiś chłopak kiedykolwiek się zarumienił. Zastanawiałam się, co takiego Lance o mnie usłyszał, że zareagował w taki sposób.

– Ja... Ja cię widziałem tamtego dnia – wyjąkał w ramach wyjaśnienia. Nie wyglądał na takiego, który się często jąka. – Tego dnia w parku.

– Och tak – powiedziałam, jakbym dopiero teraz sama sobie to przypomniała. – Racja.

– Will wczoraj jadł u ciebie obiad – dodał Lance. Ostrożnie. Zbyt ostrożnie, moim zdaniem. Jakby chciał wyciągnąć ode mnie jakieś informacje.

– Tak – rzuciłam lekko. Zastanawiałam się, czy, tak jak to zrobiła Jennifer, chciał zapytać, co Will o nim mówił.

Nie zrobił tego.

– A więc – odezwał się Lance. – *Beowulf*, hę?

– Tak – powiedziałam. – Nie cierpię *Beowulfa*.

Lance zrobił nieco zdziwioną minę.

– Już to czytałaś?

Zdałam sobie sprawę, że musiało to zabrzmieć, jakbym była okropnym kujonem. Wystarczy samo to, że w ogóle wzięłam literaturę powszechną. To dodatkowy przedmiot, dostępny dla każdego zainteresowanego niezależnie od klasy, w której jest – albo dla tych, którzy potrzebują dodatkowych stopni z przedmiotów humanistycznych. Lance ewidentnie należał do tej grupy. Co gorsza, przeczytałam już większość książek z listy lektur. Z własnej woli. To były te same książki, które przez całe moje życie leżały na regałach u rodziców. A ja przecież nie miałam zbyt bujnego życia towarzyskiego... Nie chciałam się do tego przyznawać, więc powiedziałam szybko:

– No cóż, moi rodzice są wykładowcami. Specjalistami od średniowiecza. *Beowulf* to trochę taka ich działka.

Kiedy to mówiłam, zauważyłam, że przygląda nam się jakiś dzieciak ze stolika obok. Miał chudą szyję i okulary. Kiedy spotkał mój wzrok, odezwał się:

– Przepraszam, ale... Dobrze słyszałem, że dostaliście *Beowulfa*?

– Tak. – Obejrzałam się na Lance'a. Gapił się na chudą szyjkę zmrużonymi oczami. Znałam takie spojrzenie. Naprawdę popularne dziewczyny, no i chłopcy, patrzą w ten sposób na tych niepopularnych. Zupełnie jakby Lance nie mógł uwierzyć, że Chuda Szyjka ma dość ikry, żeby się do niego odezwać. – I co z tego?

Chuda Szyjka zerknął nerwowo na swojego partnera, z wyglądu takiego samego kujona.

– Uwielbiamy *Beowulfa*. – Głos podjechał mu o dwie oktawy na ostatniej sylabie.

– Tak – zgodził się jego partner. – Grendel wymiata wszystkich.

Jak przypuszczam, Grendel rzeczywiście mógł się podobać dwóm chłopaczkom, którzy w czasach średniowiecza pewnie nie dożyliby piątych urodzin, bo wtedy jeszcze nie wymyślono inhalatorów dla astmatyków i tak dalej.

– A wy co dostaliście? – spytałam.

– Tennysona – powiedział Chuda Szyjka, usiłując nie zdradzać rozczarowania.

Wzdrygnęłam się.

– Ale nie *Panią na Shalott?* – zapytałam, przerażona.

– Owszem – powiedział Chuda Szyjka. A widząc moją minę, dodał: – Jest o wiele krótszy niż *Beowulf.*

– Zaraz, momencik – wtrącił się Lance. – A co nie tak z tą panią szalotką? Jeśli jest krótsza...

– Moja mama pisze o niej książkę – przerwałam, nie wspominając już o tym, że zostałam nazwana imieniem bohaterki poematu.

– No to ta praca to będzie pestka – stwierdzi Lance, rozchmurzając się. – Zapytaj tylko mamę, co mamy powiedzieć!

Spojrzałam na niego. Nie mogłam uwierzyć, że to się dzieje naprawdę. A jednocześnie miałam pewność, że tak jest. Właśnie tak układało mi się w tym liceum Avalon. Wszystko mnie dziwiło, a jednocześnie wcale nie było dziwnie.

– W przeciwieństwie do tego, jak może ty odrabiasz swoje lekcje – powiedziałam w desperackiej próbie uratowania się przed obrzydlistwem, które się na mnie waliło, jednocześnie doskonale wiedząc, że nie ma żadnej ucieczki – ja odrabiam swoje bez pomocy rodziców.

– Ten wiersz jest krótszy – uciął Lance. Zabrał kartkę Chudej Szyjce. – Bierzemy go.

Widać było wyraźnie, że nie ma co dyskutować. Jeśli Lance coś powie, to tak ma być. Nawet dla mnie, nowej, było to zupełnie jasne.

Wściekłam się. Mam powyżej uszu *Pani na Shalott.* Jej i tych jej głupich śnieżnobiałych sukien powiewających na wietrze w tę i we w tę.

– Dobra – powiedziałam, wyrywając mu kartkę z dłoni. – Napiszę to. Ale ty staniesz przed klasą i wygłosisz referat.

Z twarzy Lance'a zniknęła zadowolona mina.

– Ale...

– Zrobisz to. – Przybrałam dokładnie taki sam ton, jakim on zwracał się do mnie. – Albo zawalimy tę pracę. Mnie tam wszystko jedno.

Wyglądał na załamanego.
– Nie mogę przylufić. Trener nie pozwoli mi grać.
– No to wygłosisz referat.
Nieco się garbiąc za stolikiem, Lance powiedział:
– Niech będzie.
Odebrałam to jako zgodę. Kujony też, bo odwrócili się do siebie i przybili piątkę, triumfalnie zawłaszczywszy sobie Grendela.
Kiedy zadzwonił dzwonek, poczekałam, aż Lance wyjdzie z sali. Dopiero wtedy sama ruszyłam do drzwi, żebyśmy nie musieli prowadzić jakiejś niezręcznej rozmowy w drodze na korytarz. Skończyło się na tym, że wychodziłam z klasy za kujonami...
Miałam więc miejsce w pierwszym rzędzie w czasie przedstawienia, które się potem zaczęło.
Paru kumpli Lance'a z drużyny spotkało się z nim przed drzwiami sali. Jeden z nich – może mu się nudziło, może po prostu jest wredny, a może po trochu i jedno, i drugie – wyciągnął rękę i wyrwał zeszyt kujonowi, który akurat wychodził z klasy.
– Rick – powiedział Chuda Szyjka zdegustowanym tonem. – Oddaj to.
– Rick – zaczął przedrzeźniać falsetem jeden z kolegów Lance'a. – Oddaj to.
– Weź się opanuj – powiedział Chuda Szyjka, wyciągając rękę po zeszyt.
Ale Rick trzymał go wysoko w powietrzu, poza zasięgiem o wiele niższego właściciela.
– Weź się opanuj – powtórzył falsetem inny chłopak z drużyny. – Chryste, i kto to mówi.
Kujon miał taką minę, jakby mu się zbierało na płacz. Aż nagle jakaś dłoń, należąca do kogoś wyższego od tych wszystkich mięśniaków, wyłuskała zeszyt z dłoni Ricka.
– Proszę, Ted – powiedział Will do Chudej Szyjki, oddając mu zeszyt. Chłopakowi drżały ręce, ale patrzył na Willa wzrokiem pełnym uwielbienia.

– Dzięki, Will – powiedział.

– Nie ma sprawy. – Will ani razu się nie uśmiechnął. Odwrócił się do Ricka i dodał: – Przeproś.

– Daj spokój, Will – odezwał się Lance tonem, w którym wyraźnie było słychać: „Weź przestań, przecież się tylko wygłupialiśmy". – Rick sobie z chłopakiem żartował. On...

Głos Willa był chłodny.

– Rozmawialiśmy już o tym – powiedział. – Przeproś Teda, Rick.

Nie byłam ani trochę zaskoczona, kiedy Rick obrócił się do Chudej Szyjki i rzucił:

– Przepraszam.

Bo w głosie Willa zabrzmiała jakaś stalowa nutka, która wszystkich wyraźnie ostrzegała, że nikt – nawet ważący dziewięćdziesiąt kilo środkowy obrońca – nie będzie z nim zadzierał. Ani ośmielał się sprzeciwiać jego poleceniom.

Może wszyscy rozgrywający napastnicy tak mają.

A może chodziło o coś zupełnie innego.

– Nie ma problemu – powiedział Ted. A potem uciekł razem z kumplem. Zniknęli w tłumie kłębiącym się na korytarzu.

Ruszyłam za nimi, nieco wolniej. Will mnie nie zauważył i byłam z tego zadowolona. Pewnie nie wiedziałabym, co powiedzieć, gdyby się ze mną przywitał. Trochę się przestraszyłam, kiedy tak naskoczył na Ricka, a tamten go rzeczywiście posłuchał.

Jeśli to możliwe, żeby ktoś cię przestraszył, gdy się zorientuje, że zakochał się w kimś na zabój.

Kiepska sprawa. Naprawdę kiepska. No bo nie chcę wzdychać bez sensu do chłopaka. A już szczególnie do takiego, który znienacka pojawił się u mnie w domu, został na obiedzie, okazał się bożyszczem kujonów i był już zaklepany przez jedną z najładniejszych dziewczyn w szkole. To się na pewno nie skończy dla mnie dobrze. Nawet Nancy nie umiałaby dostrzec w tym żadnych zalet.

Resztę dnia więc spędziłam, starannie unikając myślenia o nim. To znaczy, o Willu.

I to nie tak, że nie miałam żadnych innych zmartwień. Musiałam napisać referat dla pana Mortona. A w czasie lunchu dowiedziałam się od Liz, że co najmniej kilka dziewczyn z pierwszej klasy biega na sto metrów – mój dystans – w szkolnej reprezentacji. Jeśli ich nie pokonam, nie dostanę się do drużyny lekkoatletycznej liceum Avalon.

Nie miałam zamiaru brać udziału w eliminacjach do szkolnej reprezentacji tylko po to, żeby się do niej nie dostać, bo jakaś zasmarkana pierwszoklasistka przez całe lato trenowała, a nie leżała na materacu tak jak ja.

Więc kiedy tego dnia wróciłam do domu, przebrałam się w ciuchy do biegania. Ruch może okazać się zbawienny z dwóch względów – pomoże mi wrócić do formy przed eliminacjami do reprezentacji, a poza tym odwróci moje myśli od pewnego rozgrywającego napastnika.

Poszłam poprosić mamę, żeby mnie podrzuciła do parku, ale nie znalazłam jej w gabinecie. Załomotałam do drzwi pokoju ojca. Mruknął coś, więc weszłam do środka.

– Och, Ellie. Cześć. Nie słyszałem, kiedy wróciłaś do domu.

A potem zauważył, w co jestem ubrana, i mina mu zrzedła.

– Och – powiedział innym głosem. – Nie dzisiaj, Ellie. Jestem naprawdę zawalony pracą. Rozumiesz, chyba udało mi się dokonać przełomu. Widzisz tę plamę na ostrzu? To jest...

– Nie musisz ze mną biegać – przerwałam, nie czekając na kolejny wykład na temat głupiego miecza mojego taty. – Podrzuć mnie tylko do parku. Gdzie mama?

– Podwiozłem ją na stację. Musiała dziś w mieście poszukać jakichś materiałów.

– Dobra. Daj mi kluczyki, to pojadę sama.

Zrobił przerażoną minę.

– Nie, Ellie – zaprotestował. – Ty masz tylko promesę. Musi z tobą jechać ktoś, kto ma normalne prawo jazdy.

– Tato, jadę tylko do parku. To trzy kilometry stąd. Po drodze jest jedno skrzyżowanie i jedne światła. Nic mi nie będzie.

Tata nie poszedł na to. Pozwolił mi wprawdzie prowadzić, ale sam siedział obok.

Kiedy dojechaliśmy do parku, akurat trwał mecz małej ligi baseballu i mecz lacrosse'a. Parking był zastawiony minivanami i volvo. Tata stwierdził, że to dlatego, że większość mieszkańców Annapolis to byli wojskowi, a oni wszyscy chcą jeździć najbezpieczniejszymi samochodami.

Ciekawe, czy tata Willa też jeździ volvem. No wiecie, skoro Will powiedział, że on służy w marynarce.

Ups. Nie zamierzałam myśleć o Willu.

Tata powiedział, żebym zadzwoniła do niego z budki przy szatniach, kiedy już się nabiegam – jakby nie mogli mi wreszcie kupić komórki – żeby mógł po mnie wrócić. Obiecałam, że tak zrobię, a potem zabrałam swojego iPoda i wodę i wysiadłam z samochodu. Na ścieżce do biegania było tylko parę osób, w większości spacerujących ze swoimi terierami albo owczarkami szkockimi. W Minnesocie najpopularniejsze psy to czarne labradory. Tutaj – owczarki szkockie. Tata mówi, że to dlatego, że byli wojskowi chcą mieć jak najinteligentniejsze psy i to są właśnie owczarki szkockie.

Pies Willa, Kawaler, to też owczarek szkocki... Tylko tak o tym wspomniałam.

Mimo późnego popołudnia było nadal całkiem gorąco. Kiedy ruszyłam truchtem, natychmiast pokryłam się cienką warstewką potu.

Czułam się wspaniale, mogąc rozruszać mięśnie po długim dniu siedzenia przy szkolnych stolikach. Minęłam spacerowiczów z psami. Starannie unikałam kontaktu wzrokowego (tata byłby przerażony). Skupiłam się na rytmie słuchanej muzyki. Obiegłam ścieżkę raz. Po drodze udało mi się uniknąć uderzenia piłką do baseballu i omal nie wpadłam na jakiegoś dzieciaka na trójkołowym rowerku. Dopiero przy drugim okrążeniu przypomniałam sobie, żeby zerknąć w głąb tego jaru. Raczej z przyzwyczajenia niż dlatego, że się spodziewałam kogokolwiek tam zobaczyć. I niewiele brakowało, a potknęłabym się o własne nogi.

Bo tam był Will.

A przynajmniej wydawało mi się, że to Will. Zerknęłam na niego tylko przelotnie.

Kiedy skończyłam drugie okrążenie, zawróciłam i pobiegłam z powrotem, żeby się upewnić. Wcale nie dlatego, że chciałam zejść na dół, żeby z nim porozmawiać. W końcu miał już dziewczynę, a ja nie uganiam się za cudzymi chłopakami. Zresztą nawet gdybym spróbowała, to pewnie by mnie wyśmiał. Prawdę mówiąc, w ogóle nie zwracam uwagi na chłopców. Bo po co? Nie jestem dziewczyną, która mogłaby im się w ogóle spodobać.

Ale gdyby miał jakieś kłopoty, gdyby siedział na dnie jaru, bo się potknął i spadł na dół? Hej, to się czasem zdarza. A może leżał tam, zakrwawiony i nieprzytomny, i potrzebował sztucznego oddychania? Zastosowanego przeze mnie?

No dobra, nieważne. Tak naprawdę chciałam z nim jeszcze trochę pogadać. Podajcie mnie za to do sądu.

Dobiegłam do miejsca, skąd widać było rozpadlinę. Na dole był ktoś, kto bardzo przypominał Willa. Jak się tam dostał, nie raniąc się o zarośla ani nie przewracając się na stromym stoku jaru, nie miałam pojęcia.

W każdym razie postanowiłam tam zejść. Tylko po to, żeby się upewnić, że nic mu się nie stało.

Tak. Właśnie. Upewnić się, że nic mu się nie stało...

Nieważne.

Rozdział 6

Niebo bez chmur błękitem drży,
U siodła wielki klejnot lśni,
Hełm, a w nim pióro dziarsko tkwi,
Jak płomień ognia zbroja skrzy.
Rycerz mknie w stronę Camelot.

W sumie nie było aż tak źle, kiedy już przedarłam się przez pierwsze krzaki jeżyn. W głębi lasu było chyba jeszcze chłodniej niż na ścieżce.

A kiedy już weszłam między drzewa i skierowałam się w dół jaru, zupełnie straciłam z oczu ścieżkę do biegania. Nie słyszałam też samochodów na autostradzie. Wyglądało to zupełnie jak jakaś pradawna puszcza, gdzie drzewa rosną bardzo blisko siebie, a słońce praktycznie nie dociera do ziemi, więc pod stopami jest wilgotna, zmierzwiona ściółka.

W takim właśnie miejscu można by spotkać Grendela.

Albo może jakiegoś Unabombera.

To był Will. Poznałam go, kiedy drzewa przerzedziły się na tyle, że mogłam dojrzeć samo dno jaru. Willowi nic nie było. Siedział na jednym z tych wielkich głazów, które sterczały na dnie wąwozu. Nie wyglądało na to, żeby krwawił czy był zraniony. Po prostu sobie siedział, spoglądając na wodę, szemrzącą w strumyku.

Być może ktoś, kto wybrał takie odosobnione i trudno dostępne miejsce – miałam podrapane całe kostki nóg – żeby sobie przysiąść i pomyśleć, naprawdę chce być sam.

Chyba powinnam była po prostu odejść i mu nie przeszkadzać.

Naprawdę lepiej byłoby zawrócić i pójść tam, skąd przyszłam.

Nie zrobiłam tego. Bo jestem totalną masochistką.

Musiałam obejść kamienie wystające z dna strumyka, żeby dostać się do głazu, na którym siedział. Woda nie była głęboka, ale nie chciałam zamoczyć sobie adidasów. Zawołałam go po imieniu, kiedy byłam zaledwie parę metrów od niego, ale się nie odwrócił.

Wtedy zauważyłam dlaczego. Miał na uszach słuchawki. Dopiero kiedy trąciłam jego stopę, dyndającą mi nad głową, drgnął i obrzucił mnie ostrym spojrzeniem.

Ale kiedy zobaczył, że to ja, uśmiechnął się i wyłączył iPoda.

– Ooo – powiedział. – Cześć, Elle. Jak ci się biegało?

Elle. Nazwał mnie Elle. Znów.

Czy to źle, że moje serce zaczęło bić mocniej i mocniej?

Przyjrzałam się głazowi, na którym siedział, sprawdziłam, którędy się na niego wspiął, i też weszłam na górę. I wcale się nie spytałam, czy mogę. Wiedziałam, że tak, po tym jego uśmiechu.

Uśmiechu, od którego trochę mnie serce zakłuło. Ale to ze szczęścia.

– Super – powiedziałam, siadając obok niego. Ale nie za blisko, no wiecie, po treningu nie pachniałam zbyt świeżo. Nie wspominając już o tym, że przed wyjściem z domu wylałam na siebie pewnie z pół litra środka przeciw komarom. Te insekty ze Wschodniego Wybrzeża chyba bardzo mnie kochają. A środek przeciw komarom to raczej nie *eau d'amour*, o ile wiecie, co chcę przez to powiedzieć.

Will nie zwrócił na to uwagi.

– Posłuchaj – powiedział, podnosząc jedną rękę i dając mi znak, żebym nic nie mówiła.

Zamilkłam posłusznie. Przez chwilę wydawało mi się, że prosi, żebym milczała, bo chce mi coś powiedzieć. Na przykład, no wiecie, że bardzo mnie kocha. Chociaż widział mnie zaledwie parę razy. I raz zjadł ze mną obiad.

Hej, dziwniejsze rzeczy się zdarzają. Tommy'ego Meadowsa i mnie łączył wyłącznie głęboki zachwyt dla komiksów ze Spider Manem.

Ale okazało się, że Will nie chce, żebym siedziała cicho po to, żeby mi wyznać miłość. Naprawdę chciał, żebym czegoś posłuchała.

No więc słuchałam. Poza szmerem strumyka słyszałam wyłącznie ćwierkanie ptaków i brzęczenie świerszczy wśród drzew. Żadnych samochodów. Żadnych samolotów. Nawet okrzyków, którymi rodzice zagrzewali małych graczy w lacrosse'a i baseball. Zupełnie jakbyśmy znaleźli się w innym świecie, w zalanej słońcem oazie oddalonej od wszystkiego. Chociaż, tak naprawdę, byliśmy zaledwie jakieś trzysta metrów od Dairy Queen przy autostradzie.

Po chwili zrobiło mi się głupio i się odezwałam:

– Hm, Will? Nic nie słyszę.

Spojrzał na mnie z nieznacznym uśmiechem.

– Właśnie – powiedział. – Czy to nie wspaniałe? To jedno z niewielu miejsc w okolicy, które ludzie zostawili w spokoju. Wiesz? Żadnych linii elektrycznych. Żadnego Gapa. Żadnego Starbucksa.

Jego oczy były tego samego niebieskiego koloru, co woda w moim basenie, kiedy idealnie uda mi się dopasować chlorowanie i poziom pH. Tyle że mój basen w najgłębszym miejscu ma dwa i pół metra, a oczy Willa wydawały się bez dna... Gdybym w nie zanurkowała, nigdy nie dotarłabym do samego dna.

– Ładnie tu. – Odwróciłam od niego wzrok. To niezbyt dobry pomysł zastanawiać się nad tym, jak niebieskie są oczy faceta, który, tak jak Will, jest już zajęty.

– Tak uważasz? – odparł, rozglądając się wokoło. Najwyraźniej nie zastanawiał się nad tym wcześniej. – Pewnie tak. Przede wszystkim... jest spokojnie.

Ale przecież on nie siedział tutaj, żeby cieszyć się spokojem.

– A więc, czego słuchałeś? – Podniosłam iPoda, którego wyłączył i położył obok, kiedy wdrapałam się na szczyt głazu.

– Hm. – Miał nieco zaniepokojoną minę, kiedy znów go włączyłam. – Nic specjalnego, naprawdę.

– Daj spokój – powiedziałam. – Ja mam na swoim Eminema. To, czego słuchasz, nie może być gorsze...

Ale rzeczywiście było. Okazało się, że to składanka miłosnych pieśni trubadurów. Z czasów średniowiecza.

– O mój Boże. – Nie powstrzymałam przerażonego westchnienia, kiedy patrzyłam na słowa przelatujące przez wyświetlacz.

A potem z miejsca pożałowałam, że nie padłam trupem.

Bo zamiast się obrazić, Will po prostu wybuchnął śmiechem. Odrzucił głowę w tył i śmiał się z całych sił.

– Przepraszam – powiedziałam zawstydzona. – Ja nie chciałam... Nie ma sprawy. To znaczy, mnóstwo ludzi lubi klasyczne... utwory.

A kiedy wreszcie złapał oddech, zamiast mi powiedzieć, gdzie mam spadać, w odwecie za to, że tak się przeraziłam jego gustem muzycznym, pokręcił głową.

– O Boże, gdybyś mogła zobaczyć własną minę. Założę się, że dokładnie taką miałaś, kiedy otworzyłaś ten koszyk od filtra i znalazłaś tam węża...

Czując lekką irytację – głównie dlatego, że przypomniałam sobie o ostrzeżeniu Nancy, żeby zanadto facetów nie rozśmieszać – powiedziałam:

– Wybacz. Po prostu nie sądziłam, że jesteś typem chłopaka, który będzie samotnie przesiadywał w lesie i słuchał... –

zerknęłam na wyświetlacz iPoda – *Dworaków, królów i trubadurów*.

– Tak, no cóż – powiedział Will, nagle poważniejąc i wyciągając rękę, żeby delikatnie wyłuskać mi iPoda z dłoni. – Ja też nigdy nie myślałem, że jestem kimś takim.

I kiedy to mówił, ten sam cień, który zauważyłam poprzedniego dnia, przeleciał mu przez twarz. Zrozumiałam, że powiedziałam dokładnie to, czego nie powinnam.

Nie wiedziałam, jak wybrnąć z tej niezręcznej sytuacji. Byłam natomiast całkiem pewna, że nie powinnam robić uwag o tym, że w średniowieczu wszyscy mieli wszy i zepsute zęby. Dlatego siedziałam w milczeniu.

Poza tym, domyślałam się, że Will usłyszał już wykład na temat siedzenia w lesie i słuchania średniowiecznej muzyki. Pewnie wygłosili go Lance i Jennifer tego dnia, kiedy widziałam ich we troje w arboretum.

Zresztą miałam wrażenie, że ponura mina Willa nie ma zbyt wiele wspólnego z tym, że go złapano na słuchaniu durnej muzyki. Mnie samej zdarzało się czasami sięgać do kolekcji Bee Gees mojego taty, kiedy miałam jakiś szczególnie podły nastrój. Ale żadne złośliwości ze strony mojego brata, Geoffa, nigdy nie zdołowały mnie tak, żebym wyglądała jak Will w tej chwili.

Zastanawiałam się, o co może chodzić. Miałam nadzieję, że nie jest to coś, co w konsekwencji uniemożliwi mu zaproszenie mnie na bal maturalny. Oczywiście jeśli wcześniej on i Jennifer zerwą ze sobą. Nabrałam powietrza i skoczyłam na głęboką wodę.

– Słuchaj, to nie moja sprawa, ale nic ci nie jest? – spytałam.

Cień zniknął już z jego twarzy. Wydawał się zaskoczony pytaniem.

– Nic – powiedział. – Dlaczego?

– Hm. Pomyślmy... – Zaczęłam odliczać na palcach. – Przewodniczący klasy maturalnej. Rozgrywający napastnik w drużynie futbolu. Świadectwo z czerwonym paskiem?

– Chyba tak. – Uśmiechnął się szeroko. Serce znów mi drgnęło.

– Świadectwo z czerwonym paskiem – dodałam do swojej listy. – Chodzi z najładniejszą, najpopularniejszą dziewczyną w szkole. Lubi siedzieć samotnie w lesie i słuchać średniowiecznych ballad miłosnych. Widzisz jakiś element, który nie pasuje do pozostałych?

Uśmiechnął się jeszcze szerzej.

– Nie owijasz niczego w bawełnę, prawda? – spytał, a jego niebieskie oczy zamigotały w sposób, który, niestety, źle mi robił na samopoczucie. – Tak zachowują się wszyscy mieszkańcy Minnesoty czy tylko Elle Harrison?

Nie wiem, co mu odpowiedziałam. Coś musiałam powiedzieć, ale nie mam pojęcia, co to było. Zresztą, jakie to ma znaczenie? Znów nazwał mnie Elle. Elle!

Odpowiedział na moje pytanie z taką beztroską, że od razu się uspokoiłam, chociaż, jeśli się nad tym lepiej zastanowić, właściwie nie powiedział niczego konkretnego. No, ale jeśli mógł sobie z tego żartować, to najwyraźniej nie miał chęci z tym wszystkim skończyć. Może ta jego mina nic nie znaczyła i po prostu był chłopakiem, który lubi siedzieć sam i słuchać średniowiecznej muzyki. Może nie miał basenu i to był jego własny sposób na dryfowanie na materacu... No wiecie, taki umysłowy.

A tu oto pojawiam się ja i wtrącam się tam, gdzie mnie nie potrzebują. Ani nie chcą.

Poczułam się głupio. Najlepiej, jeśli jak najszybciej wyplączę się z tej sytuacji.

– No dobra. – Chciałam wstać. – Pewnie się jeszcze zobaczymy.

Zatrzymał mnie. Jego palce zacisnęły się na moim nadgarstku.

– Zaczekaj chwilę. – Will spojrzał na mnie z zaciekawieniem. – Dokąd idziesz?

– Hm. – Starałam się nie robić wielkiego halo z faktu, że mnie dotknął. Żaden chłopak, poza moim bratem i Tommym Meadowsem, który zaprosił mnie do tańca w parze na lodowisku w czasie klasowej wycieczki do Western Skateland, nigdy nie trzymał mnie za rękę. – Do domu.

– Po co ten pośpiech? – zapytał.

Czy ja się przesłyszałam, czy on naprawdę chciał, żebym tu jeszcze posiedziała?

– Nie śpieszę się. Pomyślałam tylko, że chcesz być sam. No i tata czeka na mój telefon, żeby mnie podrzucić do domu.

– Ja cię odwiozę do domu – zaproponował. Wstał i próbował pomóc mi się podnieść. Zrobił to tak niespodziewanie, że straciłam równowagę i zachwiałam się na szczycie głazu...

Will wyciągnął drugą rękę i złapał mnie w talii, żeby mnie podtrzymać.

Staliśmy w ten sposób przez parę uderzeń serca, on z ręką na mojej talii, drugą trzymając mój nadgarstek. Nasze twarze były zaledwie o parę centymetrów od siebie.

Gdyby ktoś nas zobaczył, pewnie pomyślałby, że tańczymy. Dwójka szalonych nastolatków, tańczących na szczycie głazu.

Ciekawe, czyby się domyślił, że jedno z tych nastolatków – konkretnie ja – chciało pozostać w tej pozycji na zawsze. Miałam nadzieję, że zapamiętam każdy rys jego twarzy, tak blisko mojej własnej. Chciałam wyciągnąć rękę i pogłaskać miękkie ciemne włosy, pocałować usta, które tylko centymetry dzieliły od moich. Czy Will myślał o tym samym? Nawet jeśli tak było, nie umiałam nic wyczytać z tych niezgłębionych niebieskich oczu. Mimo to czułam, że jakaś iskra przeskoczyła między nami. Iskra, której nie sposób opisać.

Ale musiałam się mylić, bo sekundę później Will powiedział:

– W porządku już?

I puścił mnie.

– Jasne. – Roześmiałam się nerwowo. – Przepraszam.

Tyle że wcale nie było mi przykro. Zwłaszcza że oba te miejsca, których dotykał, łaskotały mnie, jakbym się oparzyła... ale w taki przyjemny sposób.

Zaczęliśmy wspinać się do wyjścia z jaru. Will prowadził. Odsuwał gałęzie i podawał mi rękę w bardziej stromych miejscach, gdzie trudno mi było wejść w adidasach. Jeśli zauważył, że za każdym razem, kiedy jego palce dotykają moich, po ramieniu przebiega mi dreszcz, nie pokazał tego po sobie. Zamiast tego mówił o moich rodzicach.

Tak. O moich rodzicach.

– We trójkę tak zabawnie wyglądacie – stwierdził.

– Naprawdę?

To mnie zaskoczyło. Wiem, że mój tata wygląda zabawnie z tą swoją opaską idioty, ale przecież jej nie nosił wtedy, kiedy Will do nas przyszedł. A moja mama wcale nie wygląda śmiesznie. Jest całkiem atrakcyjna. No, chyba że otworzy usta i zacznie gadać o szerokim jasnym czole i tym wszystkim.

– Tak – powiedział Will. – To, w jaki sposób żartowali z tego, jak utrzymujesz w porządku filtry w basenie. I jak ty naśmiewałaś się z nich z tym wężem. To było zabawne. Ja nigdy nie mogłem z ojcem po prostu pożartować. On chce ze mną rozmawiać tylko o tym, na jakie studia pójdę w przyszłym roku.

– Och, rozumiem – odparłam z ulgą, że już nie będziemy rozmawiać o moich rodzicach. – Rzeczywiście. Wiosną skończysz liceum.

– Tak. A tata chce, żebym poszedł do Szkoły.

Już wiedziałam, że to oznaczało Szkołę Morską. Nikt z miejscowych nie nazywał jej pełną nazwą, ale mówiono o niej po prostu „Szkoła".

Zastanawiałam się, jak by to było mieć tatę, który jest wojskowym i który, no wiecie, jest zorganizowany. Założę się, że tata Willa nigdy nie przygotowałby mu na lunch sałatki ziemniaczanej.

Ale z drugiej strony, założę się, że tata Willa nie zignorowałby tak beztrosko ostrzeżenia na temat pompowania dmuchanych materaców.

– No cóż… – Zastanawiałam się, jak Will wyglądałby w jednym z tych białych mundurów, w których chodzili kadeci. Chyba całkiem nieźle, a raczej naprawdę dobrze. – To znakomita uczelnia. Jedna z tych, do których najtrudniej się dostać w całym kraju i tak dalej.

– Wiem – powiedział Will, wzruszając ramionami i podtrzymując jakąś szczególnie kolczastą gałąź, żebym mogła pod nią przejść. – A ja mam odpowiednią średnią i pozdawałem testy i tak dalej. Ale nie jestem pewien, czy chcę być wojskowym, rozumiesz? Jeździć po świecie. Poznawać nowych ludzi. I ich zabijać.

— No cóż – powtórzyłam. – Tak, rozumiem. To może być kiepska perspektywa. Czy ty, hm, wspominałeś o tym? To znaczy, tacie?

– Och, jasne.

– I? – spytałam, bo Will nie dodał nic więcej. – Jak to przyjął?

Will znów wzruszył ramionami.

– Dostał szału.

– Och! – Pomyślałam o swoim własnym ojcu. Rodzice zawsze powtarzali Geoffowi i mnie, że powinniśmy wybrać karierę na uniwersytecie, bo wykładowcy mają wolne całe lato, a poza tym muszą prowadzić tylko jedną czy dwie grupy ćwiczeń w semestrze.

Ale ja bym już wolała jeść tłuczone szkło, niż przez cały czas pisać artykuły naukowe jak mama i tata. I regularnie im to powtarzam.

Tylko oni nie dostają szału, kiedy to mówię.

– A co innego chciałbyś robić?

– Sam nie wiem. Tata mówi, że mężczyźni z rodziny Wagnerów zawsze służyli w wojsku. – Uniósł dłonie i narysował w powietrzu znak cudzysłowu, dodając z ironią: – Naprawiając świat. – Opuścił dłonie. – A ja owszem, chciałbym naprawiać świat. Naprawdę. Ale bez wysadzania ludzi w powietrze.

Pomyślałam o tej małej scenie, której byłam świadkiem na korytarzu w szkole, i o tym, jak Will poradził sobie z Rickiem. Wydawało mi się, że on już naprawia świat.

– Rozumiem – powiedziałam.

– Przepraszam. – Will roześmiał się nagle i przeczesał dłonią swoje ciemne włosy. – Nie powinienem narzekać. Tata chce mnie wysłać na jedną z najlepszych uczelni w kraju. Będzie za nią płacił, a ja bez najmniejszych kłopotów powinienem się tam dostać. Gdyby tylko wszyscy mieli takie problemy jak ja, prawda?

– No cóż, to w pewnym sensie jest problem, jeżeli jedyna uczelnia, za którą twój tata jest gotów zapłacić, to ta, na której ty nie chcesz studiować... Zwłaszcza jeśli, no wiesz, nie chcesz służyć w wojsku. Bo strzelanie z broni i inne takie to zdaje się spora część tamtejszego szkolenia... Przynajmniej sądząc po tych odgłosach, które codziennie słyszę.

– Tak – przyznał Will. Dochodziliśmy już do ścieżki. Jakaś pani prowadząca na smyczy teriera minęła nas szybko. Była wyraźnie przestraszona tym, że wyszliśmy z lasu, bo unikała patrzenia na mnie i Willa, kiedy nas mijała w swoim różowym dresie do biegania.

Spojrzałam na niego, żeby zobaczyć, czy to zauważył. Uśmiechnął się szeroko.

– Pewnie myśli, że składaliśmy tam ofiarę diabłu – powiedział, kiedy kobieta znalazła się poza zasięgiem głosu.

– A jej pies będzie następny – zgodziłam się.

Will się roześmiał. Wyszliśmy z lasu i skierowaliśmy się w stronę samochodu Willa. Po półmroku panującym w lesie, ostatnie promienie zachodzącego słońca wydawały się wyjątkowo jasne. Boisko do baseballu wyglądało, jakby od nich płonęło. W powietrzu unosił się lekki zapach dymu – ktoś rozpalił grilla. Świerszcze właśnie zaczęły wieczorną serenadę.

– Słuchaj... – odezwał się Will, przerywając milczenie, które zapadło między nami. – Co robisz w sobotę wieczorem?

– W sobotę? – Zamrugałam powiekami. Świerszcze naprawdę dawały czadu, ale chyba nie cykały aż tak głośno, żebym źle zrozumiała pytanie.

Bo zabrzmiało to tak... No cóż, z całą pewnością zabrzmiało to tak, jakby Will zamierzał mnie gdzieś zaprosić.

– Robię imprezę – ciągnął.

A może jednak nie.

– Imprezę? – spytałam głupio.

– Tak. W sobotę wieczorem. Po meczu. – Musiałam mieć bardzo niemądrą minę, bo się uśmiechnął i dodał: – Po meczu futbolu? Avalon kontra Broadneck? Wybierasz się, prawda?

– Och – powiedziałam. Nigdy w życiu nie byłam na żadnym meczu. Pamiętacie, co mówiłam o tłuczonym szkle? No więc wolałabym się go najeść, niż oglądać futbol.

No chyba że tak się złoży, że A. William Wagner będzie w nim grał.

– Jasne, że idę. – Zastanawiałam się gorączkowo, jak ubierają się ludzie na mecz futbolu.

– Świetnie. W każdym razie robię imprezę po meczu – powiedział. – U mnie w domu. Żeby uczcić początek roku szkolnego. Możesz przyjść?

Gapiłam się na niego. Żaden chłopak nie zaprosił mnie jeszcze na imprezę. Nancy kiedyś robiła imprezy, ale nikt na nie nie przychodził poza naszymi koleżankami, same dziewczyny. Czasami w mojej dawnej szkole jakiś facet z męskiej drużyny lekkoatletycznej robił imprezę i zapraszał wszystkie dziewczyny z drużyny dziewczęcej. Ale zawsze kończyło się na tym, że stałyśmy pod ścianami, a chłopcy nas ignorowali. Za to podrywali każdą czirliderkę, która się pojawiła.

Zastanawiałam się, czy impreza u Willa też tak będzie wyglądała i dlaczego zawracał sobie głowę, żeby zaszczycić mnie zaproszeniem.

– Hm – powiedziałam, szukając jakiegoś wytłumaczenia, żeby nie przyjść.

Z jednej strony, chciałam zobaczyć, jak mieszka Will. Pragnęłam dowiedzieć się o nim wszystkiego. Z drugiej, miałam całkiem silne przeczucie, że będzie tam Jennifer Gold. Czy naprawdę chciałam oglądać Willa z jakąś inną dziewczyną? Niekoniecznie.

Will musiał wyczuć moje wahanie, ale chyba źle je zinterpretował, bo powiedział:

– Nie martw się, to nie będzie żadna dzika impreza ani nic. Rodzice zostają w domu. No przyjdź, spodoba ci się. Urządzimy party nad basenem. Możesz wziąć swój materac.

Musiałam się uśmiechnąć na te słowa.

Albo na to, jak przyjacielskim gestem Will szturchnął mnie przy tym w bok.

Och tak. Pogrążyłam się do tego stopnia, że nawet kuksaniec wymierzony przez tego faceta wydawał mi się cudowny.

– Okay – usłyszałam własne słowa. – Przyjdę, ale bez mojego materaca. On ma godzinę policyjną. Musi wracać do domu przed dziewiątą.

Uśmiechnął się. A potem, zerkając gdzieś za mnie, spytał:

– Hej, chcesz się napić lemoniady?

Spojrzałam w kierunku, który wskazał ręką, i zobaczyłam jakieś dzieciaki przed małym, nieco zaniedbanym domem, który stał na skraju parku. Ustawiły składany stolik, a nad nim powiesiły duży plakat z ręcznie wymalowanym napisem: **LEMONIADA 25 CENTÓW**.

– Chodź – powiedział Will. – Postawię ci lemoniadę.

– Wow – zażartowałam. – Rozrzutnik.

Uśmiechał się, kiedy podchodziliśmy do stolika. Ktoś z wielkim nakładem starań udekorował go obrusikiem w kratkę i malutką, na wpół rozkwitłą ogrodową różyczką w wazoniku. Obok nieuniknionego plastikowego dzbanka stał komplet kubków z obrazkami Dixie. Trzy dzieciaki za stolikiem, z których najstarszy mógł mieć dziewięć lat, ożywiły się na widok klientów.

– Chcecie kupić lemoniadę? – spytały chórem.

– A jest smaczna? – droczył się Will. – Nie wydam dwudziestu pięciu centów na coś, co nie jest najlepszą lemoniadą w mieście.

– Jest smaczna! – wrzasnęły dzieciaki. – Jest najlepsza! Sami ją zrobiliśmy!

– No nie wiem – powiedział Will z udanym sceptycyzmem. Popatrzył na mnie. – Jak myślisz?

Wzruszyłam ramionami.

– Zawsze można spróbować.

– Spróbuj, spróbuj – wołały dzieciaki. Najstarszy objął przywództwo: – Słuchajcie, damy wam spróbować, a jak będzie smaczna, możecie kupić cały kubek.

Will udał, że się nad tym zastanawia. A potem powiedział:

– Dobra, umowa stoi.

Najstarszy dzieciak nalał odrobinę lemoniady do kubka, a potem wręczył go Willowi, który urządził całe przedstawienie, najpierw wąchając napój, a potem obracając lemoniadę w ustach niczym kiper, który próbuje wina.

Dzieciaki były zachwycone. Chichotały, ciesząc się każdą chwilą spektaklu.

Muszę przyznać, że ja też. No cóż, jak mogłoby mnie to nie rozbawić?

– Przyjemny bukiet – powiedział Will, kiedy wreszcie przełknął lemoniadę. – Kwaskowa, nie za słodka. Świetny rocznik dla lemoniady, najwyraźniej. Weźmiemy dwa kubki.

– Dwa kubki! – zawołały dzieciaki, pędem je napełniając. – Wezmą całe dwa kubki!

Kiedy kubki były już pełne, Will wziął jeden i podał mi go z uroczystym ukłonem.

– Ależ dziękuję bardzo – powiedziałam i dygnęłam przed nim.

– Cała przyjemność po mojej stronie – odparł i sięgając do tylnej kieszeni dżinsów, wyjął czarny skórzany portfel, z którego wyciągnął banknot pięciodolarowy.

– Możecie zatrzymać resztę – powiedział do dzieci, kładąc go na stoliku – jeśli dacie mi jeszcze tę różę.

Dzieciaki gapiły się na banknot oczami jak spodki. Najstarszy najszybciej doszedł do siebie, wyjął różę z wazonika i podał ją Willowi.

– Proszę – powiedział. – Jest twoja.

– Dziękuję. – Will wziął kwiatek.

A potem zabrał swoją lemoniadę i odszedł od stolika. Za jego plecami dzieciaki śmiały się i krzyczały:

– Pięć dolarów! To więcej niż zarobiliśmy przez cały dzień!

Z szerokim uśmiechem ruszyłam za Willem, kierując się w stronę samochodu.

– Wiesz, że wydadzą całą tę kasę na słodycze, od których psują im się zęby – poinformowałam go.

– Wiem. – Patrzył prosto przed siebie, nawet wtedy kiedy wręczył mi kwiatek. – To dla ciebie.

Spojrzałam na różę, taką malutką, różową i idealną.

– Och! – Nagle ogarnęło mnie zażenowanie. – Nie mogłabym. To znaczy...

Wtedy obrócił głowę, żeby na mnie spojrzeć, i zobaczyłam, że się uśmiecha.

– Elle – powiedział. – Weź ją po prostu.

Więc ją wzięłam.

To był pierwszy kwiatek, jaki kiedykolwiek dostałam od chłopaka.

Pewnie dlatego, nawet kiedy już mnie podrzucił do domu i odjechał, serce dopiero po paru godzinach zaczęło mi bić jakoś w miarę normalnie.

Rozdział 7

Krosno rzuciła, trud przerwała,
Z sali wybiegła wreszcie śmiała,
Kwiat nenufaru zerwać chciała,
Hełm z piórem w dali wnet ujrzała.
Spojrzała w stronę Camelot.

Tego wieczoru czytałam o starym królu Arturze do naszego referatu na literaturę powszechną. To wcale nie było łatwe, biorąc pod uwagę fakt, że różę od Willa wstawiłam do wazonika koło łóżka i co dwie minuty mój wzrok jakoś tak błądził w jej stronę. Mimo wszystko dowiedziałam się kilku zaskakujących rzeczy. Król Artur na przykład – tak jak w musicalu *Camelot,* który moja mama uwielbia i dlatego zmusiła mnie już kilka tysięcy razy do jego wysłuchania – rzeczywiście dokonał tych wszystkich heroicznych czynów. Nauczał lud, bronił go przed Saksonami i tak dalej. Zaaranżowano mu małżeństwo z pewną księżniczką imieniem Ginewra, która na koniec rzuciła go dla jego ulubionego rycerza, Lancelota. Ten zaś rzucił Elaine z Astolat, Panią na Shalott, dla Ginewry, dzięki czemu opowieść o Elaine stała się tematem nowej książki mojej mamy.

Większość z tych rzeczy wydarzyła się naprawdę.

Poza tym, że Lancelot wcale nie zabił Artura w sporze o Ginewrę. Tym akurat zajął się przyrodni brat Artura (albo według niektórych interpretacji, jego syn), Mordred. Widzicie, Mordred był szalenie zazdrosny o dokonania Artura i o to, że jest władcą kochanym przez lud. Spiskował więc, żeby go zabić i przejąć po nim tron. Niektóre źródła podają nawet, że sam ożenił się z Ginewrą.

Pendragonowie byli bardzo toksyczną rodziną. Jerry Springer nosiłby ich na rękach.

Żadna siła nie zmusiłaby mnie do przyznania się przy rodzicach, ale historia o Arturze okazała się naprawdę ciekawa. O władcy tym nakręcono wiele filmów, napisano masę książek, wierszy i musicali – nie wspominając już o liceach nazwanych imieniem wyspy, na którą się na koniec udał, żeby tam umrzeć – a wszystko dlatego, że jego historia stanowi klasyczny przykład heroicznej postawy. Jednostka – nie żadna armia, nie jakiś bóg, żaden superbohater, tylko zwyczajny człowiek – jest w stanie raz na zawsze zmienić bieg historii.

I to dlatego, według jednej z książek mojej mamy, istnieje całe stowarzyszenie – wcale sobie tego nie wymyśliłam – ci ludzie uważają, że Artur, którego zwłoki zabrała na nieistniejącą już wyspę Avalon Pani Jeziora, tak naprawdę tylko śpi, a nie jest martwy i jego przeznaczeniem jest obudzić się dopiero wtedy, kiedy będzie najbardziej potrzebny.

Poważnie. Ta banda nieudaczników nazywa się Zakonem Niedźwiedzia, bo Niedźwiedź to przydomek króla Artura. Są przekonani, że pewnego dnia Artur się obudzi i wprowadzi nowoczesny świat w nową erę oświecenia, zupełnie tak samo jak tysiąc pięćset lat temu. Jedyne, co go powstrzymuje przed ocknięciem się, według członków Zakonu Niedźwiedzia, to siły ciemności.

Okay.

Starałam się nie pozwolić, żeby mój sceptycyzm co do istnienia tych sił ciemności ujawnił się w szkicu referatu, który pisałam dla pana Mortona.

I nie miałam najmniejszego zamiaru wspominać rodzicom o tym, że piszę pracę na temat króla Artura. Bo wiedziałam, że – w swoim entuzjazmie dla tematu – zaczną mnie zawalać taką ilością materiałów źródłowych, że będę musiała z wrzaskiem uciec z domu. Lepiej, żeby pewnych rzeczy rodzice zwyczajnie nie wiedzieli.

Tak jak ta sprawa z bieganiem. Nie wspominałam im, że się martwię, czy mi się uda dostać do żeńskiej drużyny lekkoatletycznej liceum Avalon. A potem cieszyłam się, że tego nie zrobiłam, kiedy plotki o osiągnięciach niektórych pierwszoklasistek okazały się mocno przesadzone. Dostałam się do reprezentacji bez trudu następnego dnia w czasie eliminacji.

Liz była zachwycona i przybiła mi piątkę, kiedy trenerka odczytała moje nazwisko. Jednak później, kiedy czekałyśmy na Stacy, jeszcze jedną dziewczynę z drużyny, która, jak się okazało, mieszkała niedaleko i zaproponowała, że nas podrzuci do domu, Liz uprzedziła, że czeka mnie inicjacja.

– To taka głupota, którą wymyśliła Cathy – powiedziała. Cathy była najwyraźniej kapitanem drużyny i spotkałam ją tylko przelotnie. – Przyjdą do ciebie w środku nocy – no cóż, tak po dziesiątej – porwą cię i zabiorą do Storm Brothers, i każą ci zjeść lody Moose Tracks.

Ponieważ zabrzmiało to jak taki rodzaj inicjacji, który mógłby mi się spodobać – żadnego kociego jedzenia ani zwierzęcych zwłok – nie przejmowałam się zbytnio.

Ale potem Liz powiedziała, że pewnie zrobią to w sobotę.

– No to jest pewien problem – powiedziałam. – Idę na imprezę nad basenem u Willa Wagnera po meczu z Broadneck.

Liz zagapiła się na mnie w milczeniu.

– Dostałaś zaproszenie na imprezę u Willa Wagnera? – Była tak zaskoczona, że natychmiast poczułam się tym wszystkim mocno zażenowana.

– No cóż, owszem. To znaczy, zaprosił mnie.

– Kiedy?

– Wczoraj. Biegaliśmy w parku Anne Arundel i wpadłam na niego. No, ja biegałam. On sobie siedział…

– ...na tym głazie? – Liz pokręciła głową. – O mój Boże. Oczywiście, słyszałam plotki, ale nie brałam ich poważnie.

Spojrzałam na nią.

– Jakie plotki?

– No wiesz – powiedziała Liz. – O tym, że jest bliski załamania.

– Will? – Tym razem ja się zdziwiłam. – Dlaczego ludzie myślą, że jest załamany?

– Bo przez całe lato przesiadywał na tym głazie, w jarze, w tym głupim parku – powiedziała Liz. – W tym tygodniu dwa razy zerwał się z treningów, żeby tam pójść. Słyszałam, że mówi, że lubi tam chodzić, żeby pomyśleć. Pomyśleć! Kto w ogóle robi takie rzeczy?

Wtedy z miejsca zrozumiałam, że Liz nigdy by nie pojęła, o co chodzi w tym moim dryfowaniu.

– Ale nieważne – ciągnęła – niektórzy ludzie mówią...

– Co? – spytałam nieco ostrzej niż zamierzałam.

– No cóż, niektórzy mówią, że on tam chodzi, żeby odetchnąć od swojego ojca.

– Od ojca? – Udałam nieświadomość, nie chcąc się zdradzać z tym, że Will już mi się zwierzał na ten temat.

– Tak. Przez to, co on zrobił.

Patrzyłam się na Liz, totalnie ogłupiała.

– Jego tata coś zrobił? – O czym ona mówiła? Tata Willa niczego nie zrobił. Niczego poza tym, że usiłował zmusić syna, żeby poszedł na studia do Szkoły Morskiej, i nie udało mu się. Na razie. – A co zrobił jego tata?

– Zabił swojego najlepszego przyjaciela – powiedziała Liz spokojnie. – Jakiegoś faceta, którego znał od czasu wstępnego szkolenia wojskowego czy coś. Admirał Wagner przeniósł go do walki na froncie gdzieś za granicą mniej więcej rok temu i gość zginął w katastrofie śmigłowca.

– Ale... – Zamrugałam oczami. Prawdę mówiąc, nie wiedziałam, czy mam wierzyć Liz, czy nie. Lubiła plotki. I to bardzo.

Ale nie wydawała mi się kłamczuchą.

– To jeszcze nie znaczy, że tata Willa go zabił – zaprotestowałam. – Nie zrobił tego celowo. To najwyraźniej jakiś wypadek.

– Och, jasne – zakpiła Liz. – I pewnie to tylko przypadek, że sześć miesięcy później ożenił się z żoną zmarłego przyjaciela.

Wow.

Najwyraźniej powiedziałam to na głos, chociaż nie przypominam sobie, żebym to zrobiła, bo Liz pokiwała głową i mówiła dalej:

– No właśnie. W każdym razie, teraz ludzie mówią, że tata Willa przeniósł swojego przyjaciela na tę niebezpieczną placówkę specjalnie, bo od wielu lat kochał się w jego żonie i tylko czekał na okazję, żeby się pozbyć jej męża, zanim zrobi pierwszy krok.

– Jezu! – jęknęłam zaszokowana. Will o niczym takim mi nie wspomniał, ale z drugiej strony, po jednym obiedzie i dwóch lemoniadach trudno, żebyśmy się od razu uważali za bratnie dusze czy coś.

Ale... Powiedział mi tyle innych rzeczy. Na przykład to, że nie chce studiować w Szkole.

I ta róża. Co z tą różą?

– A więc – ciągnęła Liz – sama rozumiesz, dlaczego Will nie lubi spędzać zbyt dużo czasu w domu. Ze swoją nową macochą i ojcem, który zrobił coś takiego. Nie wspominając już o Marcu.

– Kto to jest Marco? – spytałam, totalnie się gubiąc.

Stacy, ta dziewczyna, która obiecała nas odwieźć, wreszcie się pojawiła. Wlokła się w naszą stronę tak wolno, jakby do niczego na świecie jej się nie spieszyło. Ale ona skacze wzwyż. Te dziewczyny tak mają. Im nie tyle zależy na prędkości, ile na pokonaniu siły grawitacji.

– O mój Boże – powiedziała, bo dosłyszała moje pytanie. Zerknęła na Liz i się roześmiała. – Ona nie słyszała o Marcu?

– Wiem – powiedziała Liz, przewracając oczami. – Jest nowa.

– No co? – Popatrzyłam na obie dziewczyny. – Kto to jest Marco?

– Marco Campbell – dodała Liz. – Nowy, przybrany brat Willa. Syn tego zmarłego faceta.

– Miejscowy psychol – powiedziała Stacy. Przyłożyła palec do skroni i zakręciła nim. – Totalny wariat.

Wiedziałam, że gapię się na nie obie z otwartymi ustami, ale nic nie mogłam na to poradzić.

– Marco mieszka z Willem, jego ojcem i macochą?

– Tak – potwierdziła Stacy. – Chociaż jestem pewna, że będą się go chcieli pozbyć.

– Dlaczego? Co z nim jest nie tak?

– Stacy już ci powiedziała – odezwała się Liz. – On jest kompletnie nienormalny. W zeszłym roku wyleciał z liceum Avalon, na miesiąc przed maturą. Za to, że próbował zabić nauczyciela.

Siedziałam do tej pory na krawężniku przy parkingu obok Liz, czekając na Stacy. Teraz wstałam i zwróciłam się do obu dziewczyn.

– To nieprawda – powiedziałam stanowczo. – To część tego... Jak wy to nazywacie? Mojej inicjacji. Dziewczyny, bawicie się w Nabieranie Nowej czy jak to się tam nazywa.

– Och! – jęknęła Stacy, spoglądając na mnie zmrużonymi oczami, bo za plecami miałam południowe słońce. – Chciałabyś, ale to prawda. Usiłowali całą tę sprawę jakoś zatuszować. Nawet nie wiem, czy było dość dowodów, żeby podać go do sądu. Ale faceta wyrzucili. Mówiło się o tym w całej szkole.

– To rzeczywiście prawda, Ellie. – Liz też wstała z krawężnika. – Chociaż Marco naokoło opowiadał, że to była samoobrona i że ten nauczyciel, kimkolwiek był, usiłował go zamordować, a on tylko próbował się przed nim bronić. Jakby ktokolwiek miał w to uwierzyć. Podobno ma w tym roku iść na studia. To znaczy, o ile dostał się gdziekolwiek.

Bardzo w to wątpię, bo nie był wcale taki bystry. Za bardzo lubił się wyluzować.

W głowie mi się nie mieściło, że Will nic mi o tym wszystkim nie powiedział. Nie ukrywał, że ojciec zmusza go, żeby studiował w Szkole Morskiej. Jasne. Ale nie wspomniał, że jego tata wysłał swojego najlepszego przyjaciela na śmierć, a potem skorzystał z okazji i ożenił się z jego żoną. Ani o tym, że ma przyszywanego brata, którego wywalono ze szkoły za to, że usiłował zabić nauczyciela.

No cóż, może to rzeczywiście nie są rzeczy, o jakich się opowiada osobie w sumie całkiem obcej, kiedy wpadnie się na nią w lesie. Nawet jeśli przedtem podzieliła się z wami swoją porcją tajszczyzny.

To zdecydowanie wyjaśniało ten cień, który parę razy przemknął mu przez twarz.

„Moi rodzice będą w domu". Tak powiedział Will o tej imprezie. Że rodzice będą w domu. Nie, że jego tata i macocha, ale rodzice.

– A co się stało z jego mamą? – zapytałam Liz, kiedy ruszyłyśmy śladem Stacy w stronę jej samochodu. – To znaczy, z prawdziwą mamą Willa?

Liz wzruszyła ramionami.

– Umarła czy coś. Chyba dawno temu. To znaczy, w sumie nigdy nie słyszałam, żeby o niej opowiadał.

A więc mama Willa nie żyje. O tym też nie wspomniał. Być może dlatego tak bardzo lubił siedzieć samotnie w lesie, słuchając średniowiecznej muzyki. Może jeśli twój tata zabije swojego najlepszego przyjaciela, a potem ożeni się z jego żoną, a przy tym cały czas upiera się, że masz studiować na uczelni wojskowej, żeby zmieniać świat na lepsze, to w końcu nabierasz przekonania, że masz wiele do przemyślenia.

Byłam zadowolona, że urodziłam się jako Elaine Harrison, a nie jako A. William Wagner.

– A dlaczego my w ogóle gadamy o Willu Wagnerze? – zapytała Stacy, kiedy wsiadałyśmy do jej samochodu.

– Bo obecna tu Harrison zaliczyła zaproszenie na jego imprezę przy basenie, po meczu z Broadneck w sobotę wieczorem – zapiała Liz.

– Wow – powiedziała Stacy. – Wygląda na to, że nasza nowa radzi sobie sama całkiem dobrze. Już się zadaje z popularnym tłumem.

– Nie jestem popularna – zaprotestowałam, bo ona powiedziała to w taki sposób, że zabrzmiało jakoś niefajnie. – I to wcale nie tak...

– Owszem, jesteś – zapewniła mnie Liz. – Jeśli Will Wagner zaprasza cię na imprezy do siebie do domu, to jesteś częścią lepszego towarzystwa, na pewno.

– A ja słyszałam, że piszesz pracę półsemestralną z Lance'em Reynoldsem – dodała Stacy.

– Nie miałam żadnego wyboru – powiedziałam. – Pan Morton przydzielał nam pary.

– Posłuchaj jej tylko. – Stacy zachichotała. – Ależ się oburzyła! Nie wiesz, ile dziewczyn życie by dało, żeby się znaleźć na twoim miejscu, Ellie? Lance Reynolds to największe szkolne ciacho *de jour*. I nie ma dziewczyny...

– Chyba sobie ze mnie żartujecie – rzuciłam. – Ten facet to gbur!

– Gbur – powtórzyła Stacy. – Jej, to trochę okrutne.

– Tak – zgodziła się Liz. – Jak na kogoś, kto w sobotę idzie na imprezę do jego najlepszego kumpla.

– W głowie mi się nie mieści, że ludzie uważają, że Lance jest seksowny – powiedziałam. Bo rzeczywiście nie mogłam w to uwierzyć. W porównaniu z Willem Lance był... No cóż, gofrem z zamrażarki, nieco przypalonym.

– Uuu, Lance jest w porządku – stwierdziła Liz. – Trochę głupkowaty, ale fajny. Jak miś pluszowy. Problem w tym, że on jest chronicznym singlem. Potrzeba mu tylko miłości dobrej kobiety, żeby zrobić z niego mężczyznę. A ma w sobie potencjał.

– Moim zdaniem ten opis idealnie pasuje do Ellie, nie uważasz, Liz? – żartowała Stacy.

– Totalnie – oświadczyła Liz.

A potem obie dziewczyny roześmiały się serdecznie z mojej przerażonej miny.

Wiedziałam, że tylko sobie żartują. A nawet gdyby tak nie było, to lepiej, żeby podejrzewały, że lecę na Lance'a niż żeby się domyśliły prawdy... Że cieplej mi się w sercu robiło na myśl o Willu. Przez cały dzień miałam nadzieję, że uda mi się zobaczyć go na korytarzu między lekcjami. Nawet sobie przećwiczyłam, co mu powiem: „Słyszałam, że Broadneck wygrali ostatni mecz dwa do zera. Chyba będziecie musieli zdrowo się wysilić".

Tak, może i jestem kujonem, ale wyszukałam sobie Broadneck w Internecie wczoraj wieczorem, a potem, dziś rano, przećwiczyłam to zdanie przed lustrem parę razy. Mogłam więc udawać, że wiem co nieco na temat futbolu, chociaż w gruncie rzeczy nie wiedziałam nic.

Ale w ogóle go nie spotkałam. Zdałam sobie sprawę, że nie tylko nie mam bladego pojęcia o futbolu. Nie wiem też nic o A. Williamie Wagnerze, chłopaku, w którym najwyraźniej się właśnie zakochiwałam.

Byłam za to pewna jednego. Każdy, kto mógł sobie żartować z grupką dzieciaków, tak jak Will przy tamtym stoliku z lemoniadą, albo bronić jakiegoś kujona tak, jak to zrobił tamtego dnia przed klasą pana Mortona, na zawsze będzie się u mnie cieszył dobrą opinią. Niezależnie od tego, jakie okropieństwa plotki przypisują jego ojcu albo przybranemu bratu.

Wiedziałam też coś jeszcze. Każdy, kto ma tak toksyczną rodzinę jak Will, tęskni za żartami i śmiechem. Nic dziwnego, że zaczął się kręcić koło mnie, Królowej Wygłupu.

I nieważne co myśli Nancy o facetach, którzy nie zakochują się w zabawnych dziewczynach. Nie zamierzałam nic w sobie zmieniać. Bo jeśli tego właśnie chce Will, to ja mu to dam.

Nawet jeśli po drodze roztrzaskam sobie serce na tysiąc kawałków.

Rozdział 8

Dzień czy noc magii tka materię,
Radość i kolor snuje wiernie.
Klątwa jej każe trwać tam biernie
Serce przebije, szepczą, cierniem,
Gdy spojrzy choć na Camelot.

Nigdy nie byłam specjalnie dziewczęca. To znaczy, nie zbierałam pluszowych zwierzaków ani nie przejmowałam się za bardzo ciuchami. Nigdy w życiu nie zrobiłam sobie manikiuru, a włosy mam wszystkie równej długości, bo jestem zbyt leniwa, żeby je regularnie strzyc i modelować. Na ogół codziennie związuję je po prostu w kucyk.

Ale tego dnia, kiedy miał się odbyć mecz, a potem impreza u Willa, naprawdę zadałam sobie trud, żeby wyglądać jak najlepiej.

Nie wiem po co. Przecież Will nadal był zajęty. A nawet gdyby nie był, to nie miałam powodów uważać, że mu się podobam. To znaczy, jasne, byłam dziewczyną, która go rozśmiesza. Taką, która posiedzi z nim w lesie na głazie i posłucha, kiedy opowiada o swoich problemach z tatą. Ale trudno powiedzieć, żeby zupełnie otwarcie mówił mi o wszystkich swoich kłopotach. To nie tak, że byłam jakąś jego wybraną powiernicą. Po prostu przypadkiem poznał zabawną dziewczynę i trochę ją polubił. Tego ostatniego mogłam być pewna, bo w dniu, kiedy startowałam w eliminacjach do drużyny lekkoatletycznej, dostałam od niego maila:

KAWALER: Hej! Mam nadzieję, że dobrze ci dzisiaj poszło i że pognałaś jak wiatr. I tak jesteś pewniakiem, nic się nie martw.

A więc pamiętał, chociaż ledwie mu o tym wspomniałam, kiedy odwoził mnie do domu poprzedniego dnia.

A on zapamiętał.

Bo tak właśnie postępują przyjaciele. Pamiętają różne rzeczy na temat swoich przyjaciół. I to nic nie znaczy. Poza tym, że jesteśmy przyjaciółmi.

Oczywiście odpisałam od razu. No przecież wypadało podzielić się dobrymi wiadomościami.

TYGRYSEK: Hej, witaj! Dostałam się do reprezentacji. Dzięki za trzymanie kciuków.

KAWALER: Widzisz? Mówiłem ci. Gratulacje. Z tobą na pokładzie reprezentacja będzie miała wreszcie szansę na zawody stanowe, na odmianę.

I to jest dokładnie coś takiego, co możesz usłyszeć od przyjaciela. Bo przyjaciele wspierają się nawzajem. Tak samo, jak witają się słowem „Cześć", kiedy się mijają na korytarzu (Will zawsze tak robi). I machają do siebie ręką, kiedy się widzą na parkingu (to samo). Tak właśnie zachowują się kumple.

A Will ma wielu kumpli. Wydawało się, że uwielbiają go wszyscy, którzy chodzą do liceum Avalon. Był niezwykle popularny, i to nie tylko wśród kolegów z drużyny, ale i uczniów niezainteresowanych sportem. W piątek, kiedy wezwano nas na salę gimnastyczną na zbiórkę kibiców przed meczem z Broadneck, gdy wyczytano nazwisko Willa, a on wybiegł na boisko, powitały go gromkie oklaski. Wszyscy uczniowie, włącznie z tymi, którzy dąsali się, że w ogóle zmuszono ich do udziału w tym apelu – deskorolkowcami i punkami – zerwali się na równe nogi i zgotowali mu stojącą owację.

Will był tym trochę zażenowany. A kiedy oklaski nie cichły, musiał sięgnąć po mikrofon, który trzymał pan Morton (nauczyciel prowadził apel i zmuszał nas do ćwiczenia okrzyku kibiców z liceum Avalon: „Ekskalibur!", co jest najprawdopodobniej najgłupszą formą dopingu w historii szkolnictwa średniego).

– Dzięki, ludzie. Po prostu wyjdziemy na boisko i zagramy najlepiej jak się da. Mam nadzieję, że wszyscy tam przyjdziecie, żeby nas wspierać.

To stwierdzenie wywołało ogłuszający entuzjazm. Panu Mortonowi nie udało się wykrzesać podobnego za pomocą „Ekskalibura".

A kiedy Will oddawał mikrofon panu Mortonowi i jego spojrzenie przypadkiem padło na mnie – na mnie, ze wszystkich osób siedzących na trybunach – mrugnął do mnie okiem z uśmiechem. Znów powiedziałam sobie, że tak właśnie robią przyjaciele. Chociaż Liz i Stacy, siedzące obok mnie na trybunach, spojrzały na mnie ostro.

– Czy on przed chwilą nie...?

– Jesteśmy tylko kumplami – zapewniłam szybko.

– Jasne – równie szybko powiedziała Liz. – Jasne. Bo wiesz, Will i Jennifer...

– Oni są taką... topową parą – dokończyła za nią Stacy.

– Oczywiście. Will i ja jesteśmy tylko... kolegami.

– Też bym chciała mieć takiego seksownego kolegę – rozmarzyła się Stacy. – I miłego. I bystrego. I zabawnego.

Liz klepnęła ją po ramieniu.

– A ja to co? Jestem seksowna, miła, bystra i zabawna.

– Tak, ale tobie nie mam ochoty wsadzać języka do gardła – zauważyła Stacy.

Liz westchnęła i spojrzała na Willa, który właśnie siadał na swoim miejscu obok reszty drużyny.

– Prawda – powiedziała. – Gdybyśmy to my z Willem byli przyjaciółmi, już ja bym zadbała, żebyśmy szybko przestali być tylko przyjaciółmi.

– Tak, jasne – ironizowała Stacy. – Powodzenia w konkurowaniu z kimś takim.

Spojrzałyśmy w stronę, w którą wskazywała. Jennifer Gold właśnie robiła serię gwiazd w tył wzdłuż sali gimnastycznej, w rytm wygrywanej przez orkiestrę, przyspieszonej wersji *What i like about you*. Jej opalone nogi błyskały niczym nożyce. Za każdym razem, kiedy stawała prosto, gęste jasne włosy opadały jej wdzięcznie na plecy idealną falą.

– Nienawidzę jej – powiedziała Liz bez żadnej prawdziwej urazy, dokładnie podsumowując to, co w tej chwili czułam.

Ale wiedziałam, że to nie jest w porządku. Jennifer nie była zła. Wszyscy ją lubili. Nie powinnam jej nienawidzić. Jasne, Will mi się zwierzał i nawet dał mi różę, i zaprosił mnie na swoją imprezę.

Ale byliśmy tylko przyjaciółmi.

Tyle że powtarzanie sobie tego wciąż od nowa wcale nie powstrzymało mnie przed wyciągnięciem z szafy najkrótszej spódnicy. Podkreśliłam oczy eyelinerem i nawet użyłam pianki do włosów. Przemiana musiała być wystarczająca, bo kiedy zobaczył mnie mój tata, stwierdził:

– Ja cię tylko bardzo proszę, żebyś trzymała się z daleka od śródmieścia.

To ze względu na kadetów.

A potem, kiedy wybiegłam z domu, żeby wsiąść do samochodu Stacy – podwoziła mnie i Liz na mecz – obie dziewczyny wydały kpiące okrzyki. Liz zapytała mnie, czy nadal chcę siedzieć obok nich, skoro jestem teraz królową elegancji.

Nie przeszkadzały mi ich docinki. Oznaczały tylko tyle, że zostałam zaakceptowana. A to było o wiele bardziej przyjemne, niż gdyby uprzejmie powiedziały mi:

– Ładnie wyglądasz, Ellie.

Nigdy jeszcze nie byłam na meczu futbolowym. Mój brat, Geoff, w mojej starej szkole należał do drużyny koszykówki, byłam więc na paru spotkaniach, żeby mu kibicować... Nie z jakiejś przesadnej potrzeby udzielania mu siostrzanego wsparcia, ale dlatego, że Nancy wiecznie robiła słodkie oczy do Geoffa i nalegała, żeby chodzić na jego mecze.

A ponieważ Nancy nie podkochiwała się w żadnych zawodnikach z drużyny futbolowej, więc na ich mecze mnie nie ciągnęła.

Szczerze, nie wydaje mi się, żebym znów tak wiele straciła. Przynajmniej sądząc na podstawie meczu Avalon-Broadneck. Och, przyjemnie się siedziało na trybunach pod bezkresnym, nocnym niebem i zajadało popcorn.

Ale sam mecz był strasznie nudny i praktycznie nie do pojęcia. A gracze mieli na sobie tyle ochraniaczy, że odróżnić kto jest kim dawało się wyłącznie po nazwiskach na plecach ich koszulek.

Byłam chyba jedyną osobą na trybunach, która tak uważała. Wszystkich innych – włącznie ze Stacy i Liz – całkowicie pochłonęły wydarzenia na boisku. Przyłączyli się do Jennifer Gold i innych czirliderek, gdy wznosiły te swoje okrzyki i wrzeszczały histerycznie za każdym razem, kiedy nasza drużyna zdobyła jakiś punkt czy przyłożenie, czy jak to się tam nazywa.

Liz usiłowała mi wyjaśnić co subtelniejsze aspekty tej gry. Will na swojej pozycji rozgrywającego napastnika był jak mózg całej operacji. Jego przyjaciel, Lance, był jak strażnik. Miał chronić Willa przed rozpłaszczeniem na murawie za każdym razem, kiedy ten trzymał piłkę. Czyli dosyć często.

Najwyraźniej liceum Avalon miało niezłą drużynę – tak dobrą, że poprzedniego roku dotarła nawet do mistrzostw stanu. Powszechnie wierzono, że w tym roku też im się to uda, jeśli będą grali równie dobrze jak w zeszłym.

Ale w meczu z Broadneck Bruins nie szło nam tak dobrze, jak wszyscy mieli nadzieję. Po przerwie byliśmy czternaście punktów do tyłu i mnóstwo ludzi na trybunach na to narzekało.

Musiałam przyznać, że niewiele mnie obchodziło, czy wygramy, czy nie. Wcale tak uważnie nie obserwowałam tego, co działo się na boisku. Głównie przyglądałam się Willowi. Trudno było nie zauważyć, że wyglądał niesamowicie w swoich obcisłych białych spodenkach, kiedy ustalał strategię i mówił wszystkim, co mają robić. Jest chyba coś odurzającego w facecie, który ma jakąś władzę... A przynajmniej w takim, który ma równie zgrabny tyłek jak Will.

Oczywiście nie wspominałam Liz ani Stacy, że Will mi się podoba. Po pierwsze, już zadałam sobie sporo trudu, żeby im wmówić, że Will i ja jesteśmy tylko przyjaciółmi (co, przynajmniej w jego przypadku, rzeczywiście stanowiło prawdę). Wiedziałam też, że jeśli się im przyznam, że marzy mi się coś więcej niż tylko przyjaźń z Willem, to popatrzą na mnie z politowaniem, że jestem na tyle głupia, żeby się podkochiwać w takim popularnym chłopaku. A już zwłaszcza takim, który się spotyka z Jennifer Gold.

Poza tym one chyba nadal myślały, że coś się dzieje między mną a Lance'em. (Jeszcze czego!) Poszturchiwały mnie łokciami za każdym razem, kiedy pan Morton wywoływał przez megafon jego nazwisko – nauczyciel, poza kierowaniem apelami dla kibiców, był też komentatorem w czasie meczów.

Nie prosiłam, żeby przestały, ani nie wyjaśniałam, że Lance mi się nie podoba. Wydawało mi się, że prościej będzie pozwolić im dalej tak myśleć, niż wyjawiać prawdę.

W każdym razie do przerwy byłam już tak znudzona, że zaproponowałam, że przyniosę dla nas wszystkich hot dogi, i właśnie przeciskałam się do budki z jedzeniem, kiedy usłyszałam, że ktoś mnie woła po imieniu.

Obejrzałam się, nie mając zielonego pojęcia, kto to mógł być, bo przecież nadal prawie nikogo nie znałam w tej szkole. Zdziwiłam się mocno na widok pana Mortona, który wyłonił się z budki komentatora, usiłując mnie zatrzymać.

– Witam, panie profesorze – odezwałam się, zastanawiając się, czego on może chcieć. Przecież kręciło się tu dokoła mnóstwo innych uczniów. Po co wyróżniał akurat mnie?

– Elaine – przemówił surowym głosem, a ponieważ jest Brytyjczykiem, moje imię zabrzmiało jeszcze bardziej staroświecko, niż gdy się je wymawia z normalnym amerykańskim akcentem. Zupełnie jak wtedy, kiedy wymawiał: „Ekskalibur", wydawało się, że to słowo jest bardzo ważne.

Jego ton był surowy, wywnioskowałam więc, że jestem w tarapatach. Z jakiego powodu, pojęcia nie miałam. No bo, na litość boską, ja tylko usiłowałam kupić kilka hot dogów.

– Przeczytałem wasz szkic referatu – ciągnął pan Morton.

– Och – powiedziałam. Zaświtało mi, że może jednak wcale nie wpadłam w tarapaty. Nie odziedziczyłam po ojcu jego kiepskiego wzroku ani powolnej, chociaż skutecznej metody biegania. Za to miałam po nim wybitne zdolności do zbierania materiałów, a po mamie znakomity talent organizacyjny. Nikt nie pisze lepszych ani bardziej wyczerpujących prac semestralnych niż ja. Jeszcze nigdy z żadnej nie dostałam gorszego stopnia niż pięć mniej. Nigdy. Pan Morton pewnie chciał skomplementować mnie za kawał znakomitej roboty, którą odwaliłam, przygotowując szkic referatu o *Pani na Shalott*.

Ale, jak się okazało, wcale nie po to mnie zatrzymał. Ani trochę mu się nie spodobało to, co mu oddałam do sprawdzenia. Ani trochę.

– Nie był to – powiedział tym samym suchym tonem – temat, jaki wam wyznaczyłem.

Przez jakąś sekundę nie miałam pojęcia, o czym on do mnie mówi. A potem zrozumiałam, o co mu chodzi.

– Och – powiedziałam. – Racja! Przepraszam. To moja wina, panie Morton. Ja już czytałam *Beowulfa*... – Pomyślałam, że lepiej powiedzieć to niż prawdę, a mianowicie że nienawidzę tego poematu. Z nauczycielem literatury nigdy nic nie wiadomo... Może się okazać szalenie czuły na punkcie takich drobiazgów. – Więc zamieniliśmy się tematami z kimś innym. Czy to niedozwolone? Bo nie przypominam sobie, żeby pan tak mówił.

Pan Morton zmarszczył brwi. Najwyraźniej go trafiło. Rzeczywiście nie powiedział, że nie wolno się zamieniać tematami do prac.

Ale to nie była jedyna rzecz, która mu doskwierała.

– Czy ty w ogóle pracowałaś razem ze swoim partnerem nad tym szkicem? – zapytał ostro.

Moim partnerem?

A potem sobie przypomniałam. Lance. Oczywiście.

– Jasne – odparłam, łżąc przez zaciśnięte zęby. – Pomógł mi zebrać część materiałów źródłowych...

– Bardzo w to wątpię. – Pan Morton wydawał się naprawdę wściekły. Widziałam to po jego brwiach, które nisko opadły mu na oczy. Jako starszy pan, mocno poza granicą wieku emerytalnego, jeśli chcecie znać moje zdanie, pan Morton miał siwe brwi i tak samo siwą, porządnie przyciętą brodę. – Wyznaczyłem ci partnera do pracy nie bez powodu, Elaine – powiedział surowo.

– Przepraszam. – Byłam naprawdę bardzo zaskoczona. Nauczyciele nigdy się mnie nie czepiają. Jestem prawie idealną uczennicą. – Ja... hm... my... podzieliliśmy pracę między siebie. Ja napisałam szkic, a on wygłosi ustny referat...

Ale pan Morton nie nabrał się na to. Powiedział:

– Kiedy wyznaczam ci partnera, oczekuję, że będziesz z nim pracowała. Ty i Lance macie to zrobić razem. Nie przyjmuję twojego szkicu.

Wydałam z siebie jakiś dziwny odgłos. Byłam w szoku, bo żaden nauczyciel nigdy jeszcze nie odrzucił czegoś, co napisałam.

Ale pan Morton chyba tego nie zauważył, bo mówił dalej:

– W poniedziałek rano chcę zamienić z wami parę słów. Oczekuję ciebie i Reynoldsa w mojej pracowni. Jeszcze przed lekcjami. Możesz mu to przekazać, kiedy się z nim zobaczysz.

Osłupiałam. O co w tym wszystkim chodziło?

– Dobrze.

Powiedziałam „dobrze", ale wcale nie czułam, że jest dobrze. Byłam zdecydowanie wytrącona z równowagi. Skąd on wiedział? Skąd on wiedział, że Lance i ja nie pracowaliśmy nad tym szkicem razem?

Zanim wróciłam na swoje siedzenie na trybunach, nieco się już uspokoiłam... Ale nie za bardzo.

– Gdzie nasze hot dogi? – chciała wiedzieć Liz, kiedy opadłam na siedzenie obok niej. Wtedy dopiero zdałam sobie sprawę, że tak się przejęłam rozmową z panem Mortonem, że zapomniałam ich kupić.

– Przepraszam – powiedziałam. – Ale, posłuchajcie. – I powtórzyłam im treść rozmowy z panem Mortonem. – No bo dałybyście wiarę? – zapytałam, kończąc opisywać, co się stało. – Czy on tu ma opinię starego, męczącego upierdliwca?

Pytanie było całkiem retoryczne. Oczekiwałam, że usłyszę odpowiedź: „O, tak, jest wredny".

Ale zamiast tego Stacy powiedziała:

– Sama nie wiem. Wszyscy uwielbiają pana Mortona.

– Tak – dodała Liz. – Odkąd zaczął pracować w Avalonie, praktycznie co roku wygrywa w głosowaniu na najsympatyczniejszego nauczyciela. I wszystkim naprawdę się podoba to, jak woła: „Ekskalibur".

– Naprawdę? – Jakoś trudno mi było w to uwierzyć.

– Nie rozumiem, czemu się tak wściekasz – powiedziała Stacy. – On ci praktycznie kazał spędzać więcej czasu z Lance'em Reynoldsem.

Zgarbiłam się na swoim siedzeniu. Nie było sensu tłumaczyć im, że mój brak entuzjazmu związany z osobą Lance'a wynikał z tego, że jestem zakochana w jego najlepszym przyjacielu.

Więc po prostu zamknęłam się i nic już nie mówiłam do końca meczu...

W czwartej ćwiartce, kiedy obie drużyny remisowały przy dwudziestu jeden punktach, zdarzyło się coś dziwnego. A przynajmniej mnie wydawało się, że to dziwne. Nie byłam nigdy wcześniej na meczu futbolowym, więc to może normalne. Kto wie?

Widziałam dokładnie, jak to wyglądało, bo dotyczyło Willa, więc obserwowałam wszystko uważnie. Will wywołał jakąś liczbę i ktoś rzucił mu piłkę. Przebiegł z nią kilka kroków, rozglądając się, komu ją odrzucić.

A potem stało się coś, czego nie widziałam ani razu wcześniej w ciągu meczu. W pobliżu nie było Lance'a, żeby obronić Willa przed zablokowaniem. Zamiast tego w Willa z całej siły walnął jakiś zawodnik przeciwnej drużyny.

Widząc to, aż sapnęłam i zerwałam się na równe nogi, a potem rozejrzałam się gniewnie, szukając Lance'a. Właśnie nadbiegał z tamtej strony, gdzie przy linii autowej stała Jennifer Gold.

Jennifer Gold? Co ten Lance wyprawiał, gadając z Jennifer Gold, kiedy Willa bili na boisku?

Nie tylko ja byłam oburzona. Trener Avalonu trzasnął Lance'a w tył kasku, kiedy ten pędem rzucił się w stronę Willa. Było mnóstwo gwizdania w gwizdki, a potem facet, który zablokował Willa, zlazł z niego. Lance padł na kolana obok skulonego na ziemi chłopaka – o Boże, nie pozwól im go zabić! – zdarł swój kask z głowy i pochylił się, chwytając przód koszulki Willa, i wykrzykując jego imię.

Patrzyłam, z sercem w gardle, nie zdając sobie nawet sprawy z tego, że wstrzymuję oddech, aż sekundę później Will powoli i z trudem zaczął podnosić się na nogi.

Wtedy z sapnięciem wypuściłam powietrze z płuc i usiadłam, bo kolana mi zmiękły...

I przekonałam się, że Stacy i Liz przyglądają mi się z uniesionymi brwiami.

Poczułam, że się rumienię, i miałam nadzieję, że w ciemności tego nie zauważą.

– Nie miałam pojęcia, że futbol to taka porywająca gra – powiedziałam głupio.

Sekundę później, kiedy Will z dobrodusznym śmiechem machnął ręką na przeprosiny Lance'a, grę wznowiono.

Tylko że tym razem nikt nie zbliżył się do Willa na tyle, żeby go zablokować. A ten facet z przeciwnej drużyny, który go zablokował wcześniej? No cóż, przy pierwszej nadarzającej się okazji Lance powalił go na ziemię z taką siłą, że znów musieli przerwać mecz, a faceta trzeba było znieść z boiska na noszach.

Jedno było pewne. Nikt bezkarnie nie zaatakuje A. Williama Wagnera i nie ujdzie mu to na sucho, póki Lance, jego najlepszy przyjaciel, będzie miał w tej sprawie coś do powiedzenia.

Avalon wygrał siedmioma punktami. Tłum oszalał ze szczęścia.

A potem był już czas na imprezę u Willa.

Rozdział 9

Nie wie, w czym klątwy tkwi zła treść,
Więc nić swą równo może pleść
I życie bez trosk może wieść,
Pani na Shalott.

Zmusiłam Stacy i Liz, żeby poszły ze mną. Za żadne skarby nie poszłabym na imprezę sama, nie znając tam nikogo poza gospodarzem, który bez wątpienia będzie za bardzo zajęty, żeby ze mną rozmawiać.

Poza tym zapytałam Willa, kiedy mu odpisywałam na maila poprzedniego wieczoru, czy mogę przyprowadzić ze sobą dwie koleżanki, a on odpisał, że nie ma sprawy.

Stacy nie przejęła się zaproszeniem, ale Liz była bardzo podekscytowana. Nigdy jeszcze, zwierzyła mi się, nie była na imprezie w domu u kogoś popularnego – a co dopiero przewodniczącego klasy maturalnej – i umierała z chęci zobaczenia, jak taka impreza wygląda.

No to się przekonała. Rodzaj imprezy dałoby się podsumować jednym słowem: tłoczno. Will mieszkał przy Severn Bridge. W sumie to na wzgórzu, z widokiem na zatokę, ale musiałyśmy zaparkować sporo poniżej szczytu, bo przed domem stało już tyle samochodów, że nie dało się podjechać bliżej.

– O kurczę... – zaczęła Liz, kiedy wreszcie wspięłyśmy się na wzgórze i weszłyśmy do holu domu Wagnerów. Bo dom Willa był naprawdę fajny, same marmurowe posadzki i wielkie lustra w złoconych ramach. Można się było zastanawiać, skąd jego tatę stać na to wszystko przy pensji oficera marynarki wojennej.

Liz najwyraźniej myślała o tym samym, bo szepnęła do Stacy i do mnie tonem osoby dobrze poinformowanej:

– Majątek po rodzinie.

Natknęłam się na admirała Wagnera niemal w tej samej chwili, w której weszłyśmy do środka. Stał w salonie i witał się z wchodzącymi ludźmi, z drinkiem w jednej ręce i atrakcyjną blondynką u boku. Założyłam, że to jest właśnie wdowa po zmarłym przyjacielu, macocha Willa.

– Świetny mecz, prawda? – mówił tata Willa do każdego, kto chciał słuchać. – Weźcie sobie drinka. Świetny mecz, nieprawdaż?

Tata Willa zdecydowanie nie wyglądał na potwora, który celowo wysłałby na śmierć swojego najlepszego przyjaciela, no i zmuszałby swojego syna do obrania niechcianej kariery. Był wysoki, jak Will, i miał szpakowate włosy. Nie miał na sobie munduru ani nic takiego, chociaż kanty na jego sportowych spodniach były nieco za ostre jak na cywila. Ale to może tylko dlatego, że nie przywykłam do oglądania mężczyzny w wyprasowanych spodniach. Mój tata nigdy w życiu nie włożył jednego wyprasowanego ciucha.

Podeszłam do niego od razu i przedstawiłam siebie, Liz i Stacy, bo uznałam, że tak będzie grzecznie. Przyznam też, że byłam ciekawa, jaki okaże się admirał Wagner, po tym wszystkim, co o nim słyszałam.

Ale był naprawdę czarujący i najwyraźniej zachwycony tym, że jego syn ma tylu przyjaciół. Powiedział takim radosnym, tubalnym głosem:

– Miło was poznać, dziewczyny. Idźcie i weźcie sobie coś do picia. Napoje są przy basenie.

Przyjrzałam się uważnie żonie admirała, usiłując ocenić, jak wiele miała wspólnego z tym, co Will powiedział, że „ostatnio dziwnie się porobiło".

Ale wcale nie wyglądała na wredną osobę ani nic. Była bardzo piękna, filigranowa i miała jasne włosy… w sumie szalenie przypominała Jennifer Gold.

Ale była też trochę smutna. Jakby może brakowało jej zmarłego męża czy coś takiego.

A może zwyczajnie nie miała ochoty uczestniczyć w jakiejś głupiej imprezie dla licealistów. Trudno powiedzieć.

Stacy, Liz i ja zrobiłyśmy, jak nam kazał admirał, i poszłyśmy w stronę basenu. Spóźniłyśmy się trochę, więc Will, Lance i cała reszta ich kumpli z drużyny – nie wspominając już o zespole czirliderek z liceum Avalon – już tam byli. Przybijali sobie nawzajem piątki i wskakiwali do podgrzewanego basenu, oświetlonego chyba milionem papierowych lampionów.

Stacy, Liz i ja wzięłyśmy sobie napoje gazowane, a potem zatrzymałyśmy się przy guacamole – bo to tam na koniec zwykle lądują na imprezach wysokie dziewczyny – i przyglądałyśmy się wszystkim. Nikt nie zwracał na nas najmniejszej uwagi. To znaczy, nikt poza owczarkiem szkockim, który podszedł i wcisnął nos w moją dłoń.

– Cześć, piesku – powiedziałam. Był piękny, miał długą jedwabistą sierść, białą, z zaledwie kilkoma czarnymi łatami. I był też bardzo dobrze wychowany. Nie skakał na mnie i tylko raz mnie liznął.

Wiedziałam, że to musi być pies Willa, Kawaler. Przekonałam się, że miałam rację, kiedy Willowi udało się oderwać od adorującego go tłumku. Podszedł do mnie z okrzykiem:

– Przyszłaś!

Liz i Stacy obejrzały się zgodnie za siebie, żeby zobaczyć, do kogo on mówi, a ja poczułam, że zaczynam się rumienić.

Bo wiedziałam, że zwracał się do mnie.

– Tak – powiedziałam, kiedy on przystanął przede mną. Przebrał się w luźne kąpielówki i hawajską koszulę, rozpiętą do pasa. Trudno było nie patrzeć na mięśnie jego brzucha.

Przypominały sześciopak piwa. Usiłowałam zignorować ten widok i dodałam: – Dzięki za zaproszenie. To moje koleżanki, Stacy i Liz.

Obie dziewczyny patrzyły zupełnie zaskoczone. Will się z nimi przywitał, a potem zwrócił się do mnie:

– Widzę, że Kawaler cię znalazł. Musiał cię polubić.

To prawda. Pies oparł się o mnie bokiem, kiedy go drapałam za uszami. A przynajmniej dopóki nie przyszedł Will. Wtedy całą swoją uwagę skupił na nim.

– Ma dobre maniery – powiedziałam idiotycznie, bo tylko to mi przyszło na myśl. Poza: Kocham cię! Kocham cię!

Co, jak rozumiecie, nie byłoby zachowaniem przyjętym w towarzystwie.

Will tylko się uśmiechnął i zapytał, czy popływamy.

– Nie wzięłyśmy kostiumów – skłamała Liz, szybko zerkając w stronę Jennifer Gold, która przechadzała się w pobliżu i wyglądała absolutnie anielsko w białym jak śnieg tankini.

– Och, my tu mamy mnóstwo zapasowych – powiedział Will. – W tym domku przy basenie. Wybierzcie sobie coś.

Stacy i Liz popatrzyły na niego w milczeniu, zapominając o trzymanych w dłoniach chipsach, którymi nabierały guacamole. Szansa na to, że we trzy zaczniemy paradować w kostiumach kąpielowych na oczach drużyny czirliderek, była mniej więcej taka sama jak to, że z nieba spadnie gigantyczny meteor i spali je wszystkie żywcem.

Nie żebym życzyła im takiego losu. Przynajmniej nie do końca.

– Baw się dobrze – powiedział do mnie Will z szerokim uśmiechem, zupełnie nie zauważając naszego zażenowania, jak każdy normalny facet. – Muszę ruszać, wiesz. Obowiązki gospodarza.

– Jasne. Will, z Kawalerem drepczącym tuż przy boku, poszedł porozmawiać z wysokim, przystojnym chłopakiem, którego nigdy przedtem nie widziałam. Ciemnowłosy, jak

Will, wydawał mi się jakby znajomy. Wiedziałam jednak, że nie chodzi do Avalonu. Liz z wielką frajdą wyjaśniła mi, kim on jest.

– To Marco – powiedziała z ustami pełnymi guacamole. – Przybrany brat Willa.

Spojrzałam jeszcze raz. Marco rozmawiał przyjaźnie z Willem i paroma innymi chłopakami z drużyny. Nie wyglądał na rozgoryczonego tym, jak się sprawy potoczyły. No wiecie, że mieszka w domu człowieka, który posłał jego ojca na śmierć, a potem ożenił się z jego matką. To znaczy, przecież po czymś takim człowieka może pokręcić.

Nie przypominał też potwora, za jakiego uważały go Liz i Stacy. Na pewno nie wyglądał jak ktoś, kto usiłował zabić nauczyciela. Co prawda miał kolczyki w kształcie kółek w obu uszach. I jeden z takich plemiennych tatuaży wokół bicepsa.

Ale wiecie, teraz to całkiem normalne.

Przyglądałam się, jak Marco obchodził basen wkoło, witając się z ludźmi jak polityk – uściskiem dłoni i klepnięciem po ramieniu, jeśli chodziło o chłopaków, i pocałunkiem w policzek, jeśli to była dziewczyna. Zastanawiałam się, jak bym się czuła, mieszkając pod tym samym dachem co facet, który był odpowiedzialny – nieważne, że nie bezpośrednio – za śmierć mojego taty.

W Annapolis okazało się o wiele ciekawiej niż się spodziewałam, kiedy rodzice zapowiedzieli mi, że przeprowadzimy się tu na rok.

Liz szybko przekonała się, że niewiele straciła, nie chodząc na imprezy do popularnych uczniów. Stacy też zaczęła się nudzić. Kiedy oświadczyły, że chcą już wracać – udało nam się wsunąć całe guacamole i wyglądało na to, że więcej nie podadzą – pokiwałam głową, bo sama też chciałam już stamtąd pójść. Zobaczyłam to, co chciałam – tatę Willa, który okazał się bardzo miły; jego macochę, która wydawała się urocza; i sposób, w jaki Will zachowywał się wobec Jennifer.

Dokładnie tak, jak można by tego oczekiwać od pary... Nie jakieś gruchające turkaweczki, ale często trzymali się za ręce i raz widziałam, jak się do niej pochylił, żeby ją pocałować.

Czy skręciło mnie z zazdrości na ten widok? Owszem. Czy uważam, że byłabym dla niego odpowiedniejszą dziewczyną niż ona? W sumie tak.

Ale rzecz w tym, że ja chciałam, żeby on był szczęśliwy. Brzmi to dziwnie, ale naprawdę tego chciałam. I jeśli Jennifer go uszczęśliwia, no to co zrobić, niech i tak będzie.

Tyle że...

Co z tą różą? Tą, która teraz stała, w pełnym rozkwicie, w wazoniku na mojej nocnej szafce. Jest pierwszą rzeczą, którą widzę co rano po przebudzeniu i ostatnią, którą widzę wieczorem, przed zgaszeniem światła.

Dopiero kiedy szłyśmy już do wyjścia, przypomniałam sobie, że powinnam zawiadomić Lance'a o naszym spotkaniu z panem Mortonem w poniedziałek rano. Powiedziałam Liz i Stacy, że spotkamy się przy samochodzie, i zawróciłam, żeby znaleźć Lance'a.

Nie było go przy basenie, gdzie go widziałam po raz ostatni, ani w domu. Wreszcie ktoś stojący w kolejce do łazienki na piętrze powiedział mi, że widział go, jak wchodził do pokoju gościnnego. Podziękowałam, podeszłam do tych drzwi i zapukałam.

Muzyka dobiegająca z parteru była zbyt głośna, żebym mogła usłyszeć, czy Lance powiedział, że można wejść, czy nie. Zapukałam nieco głośniej. Nadal nic.

Uznałam, że skoro ja go nie słyszę przez tę muzykę, to on pewnie nie słyszy mojego pukania. Uchyliłam drzwi – tylko odrobinę – żeby zobaczyć, czy Lance tam w ogóle jest.

Był tam, jak najbardziej.

Całował się na łóżku z Jennifer, dziewczyną swojego najlepszego przyjaciela.

Byli tak sobą zajęci, że nie zauważyli, że drzwi się uchylają. Szybko je zamknęłam, a potem stanęłam pod ścianą po przeciwnej stronie korytarza, opierając się o nią. Miałam wrażenie, że serce za chwilę wyskoczy mi z piersi.

Ale zanim zdążyłam się zastanowić nad tym, co przed chwilą zobaczyłam, stało się coś jeszcze bardziej przerażającego.

Otóż po schodach wchodził Will i zmierzał prosto do drzwi, które przed chwilą zamknęłam.

Rozdział 10

Często zaś nocą purpurową
Wśród skupisk jasnych gwiazd nad głową
Meteor brodę ciągnie płową
Ponad uśpionym Shalott.

O, cześć Elle – powiedział na mój widok.

Nawet nie zadrżałam, słysząc, że nazywa mnie Elle. A to najlepiej świadczy o tym, jak bardzo byłam zdenerwowana.

– Cześć – odparłam słabym głosem.

– Widziałaś Jen? – spytał Will. – Ktoś mi mówił, że widział, jak tu wchodziła.

– Jen? – powtórzyłam. Spojrzenie, którego nie zdołałam powstrzymać, pomknęło w stronę zamkniętych drzwi pokoju gościnnego. – Hm...

Co mu powiedzieć? No bo naprawdę... Miałam się odezwać: „Jasne, widziałam ją, jest tam w środku" i pozwolić mu wejść i znaleźć Lance'a i Jennifer w samym środku akcji?

A może miałam skłamać i powiedzieć: „Jen? Skąd. Nie widziałam jej na oczy", i pozwolić mu żyć w kompletnej nieświadomości, że jego dziewczyna i najlepszy przyjaciel są parą kłamliwych skunksów?

A wam byłoby łatwo podjąć taką decyzję? Dlaczego to ja musiałam na nich wpaść? Chciałam, żeby Will zerwał z Jennifer. Wtedy byłby wolny i umówiłby się ze mną. No wiecie, gdyby tego w ogóle chciał, a piekło zdołałoby wcześniej zamarznąć.

Ale nie miałam zamiaru być tą osobą, która uświadomi mu, że jego dziewczyna go zdradza! Choćby dlatego, że jeśli w jakimś filmie czy operze mydlanej dziewczynie przytrafia się podobna sytuacja, to potem nigdy nie udaje jej się dostać tego faceta...

Ale zanim zdążyłam zdecydować, co robić, Will spojrzał na mnie uważniej i powiedział:

– Nic ci nie jest, Elle? Wyglądasz nieco... blado.

Czułam, że zbladłam. W sumie było mi trochę tak, jakbym miała zwrócić całe to guacamole, które zjadłam wcześniej.

– Nic mi nie jest – rzuciłam, chociaż zabrzmiało to jak kłamstwo nawet w moich uszach.

– Coś ci jest – powiedział Will stanowczo. – Chodź, wyjdziemy na powietrze.

A potem stało się coś zaskakującego. Wziął mnie za rękę – złapał ją, jakby to było coś najnaturalniejszego pod słońcem – i pociągnął mnie w stronę drzwi, których wcześniej nie zauważyłam. Poprowadził mnie wąską, stromą klatką schodową, która wychodziła na balkon ciągnący się wzdłuż całego dachu domu.

Pod nami w najlepsze trwała impreza, ale tutaj było cicho. Cicho i ciemno, a dokoła rozciągał się fantastyczny widok na rozgwieżdżone niebo i zatokę. Księżyc odbijał się w niej, rysując jasną wstążkę światła. Lekka bryza zwiała mi włosy z twarzy i poczułam się nieco lepiej.

Oparłam się o ozdobnie rzeźbioną poręcz otaczającą cały taras i spojrzałam na zatokę, na most, który ją przecinał, i na przesuwające się po nim światła przejeżdżających z rzadka samochodów.

– Lepiej? – spytał Will.

Pokiwałam głową. Było mi trochę wstyd i chciałam, żeby przestał już patrzeć na mnie z tak bliska. Miałam wrażenie, że cerę mam nadal nieco pozieleniałą. Zapytałam pogodnie:

– Jak to coś się w ogóle nazywa? – Miałam na myśli wąski balkon, na którym staliśmy z Willem.

– Ty naprawdę nie jesteś z tych okolic, prawda? – zapytał Will z uśmiechem. A potem też się zbliżył do poręczy i dodał: – Mówią na to wdowi balkonik. Mają je wszystkie stare domy w tej okolicy. Ludzie twierdzą, że budowało się je specjalnie dla żon marynarzy, żeby miały skąd wyglądać powrotu statków swoich mężów.

– Fajnie – powiedziałam sarkastycznie. Bo, oczywiście, jeśli mąż nie wracał, to oznaczało, że statek zatonął, a więc żona stawała się wdową. W ten sposób to przyjemne miejsce zamieniało się we wdowi balkonik.

– No cóż. – Will się roześmiał. – Tak naprawdę te balkony wcale nie służyły do tego. Budowano je, żeby łatwiej można było dostać się tu na górę i w razie potrzeby ugasić płomienie, jeśli dach zająłby się ogniem. Wtedy jeszcze palono w kominkach.

– Fajnie! – powtórzyłam z jeszcze większym sarkazmem.

Will się uśmiechnął.

– Tak. Chyba powinni byli zmienić nazwę. Nieważne. – Wzruszył ramionami. – Widok jest ten sam, niezależnie od tego, jak nazywa się balkon.

Pokiwałam głową, podziwiając migotliwe pasmo światła rzucanego przez księżyc na wodę.

– Jest ładnie – powiedziałam. – Tak kojąco.

Tak kojąco, że niemal zapomniałam, dlaczego w ogóle musiałam tu wyjść. Co ja mam zrobić w sprawie Lance'a i Jennifer?

– Tak – przyznał Will, kompletnie nieświadomy mojej rozterki. – Nigdy nie nudzi mi się ten widok. Woda to jedyna rzecz, która chyba nigdy się nie zmienia. To znaczy, czasem ma inny kolor. Bywa, że jest gładka. Innym razem wzburzona. Ale zawsze jest. Można na tym polegać.

Nie tak, jak na jego dziewczynie i najlepszym przyjacielu. Ale, oczywiście, nie powiedziałam tego na głos.

Zastanawiałam się, czy nowa pani Wagner często tu przychodzi. Może ze swoją filiżanką porannej kawy? Czy Will nie zwrócił uwagi na ironię, która wynikała z nazwy tego balkoniku? No wiecie, skoro ona jest wdową i tak dalej?

– Brakuje ci jej? – zapytałam go nagle. Zbyt nagle, zdałam sobie sprawę, kiedy spojrzał na mnie, jakby nie miał zielonego pojęcia, o czym ja mówię.

– Kogo? – spytał.

– No, twojej mamy. Twojej, hm, prawdziwej mamy. – Stwierdziłam, że nie ma sensu udawać, że nic o nim nie wiem.

– Mojej mamy? – Zmrużył oczy, patrząc na wodę. – Nie, zupełnie nie. Nigdy jej nie znałem. Umarła po moim urodzeniu.

– Och – powiedziałam. Bo nie wiedziałam, co innego mogłam zrobić.

– To nic takiego. – Will się uśmiechnął. Chyba wyczuł, że mu współczuję, i chciał mnie jakoś uspokoić. – Nie można tęsknić za czymś, czego się nigdy nie miało.

– Pewnie tak – przytaknęłam. – Lubisz... – Przerwałam, niepewna, jak mam nazwać jego macochę, mamę Marca?

– Jean? – Will pokiwał głową. – Tak, bardzo ją lubię.

– To dobrze. A Marco?

– Tak. – Uśmiechnął się jeszcze szerzej. – Skąd wiedziałaś o Marcu i Jean? Wypytywałaś o mnie ludzi czy co?

– Być może. – Czułam, że zaczynam się rumienić. Miałam nadzieję, że w ciemności tego nie zauważy.

Jeśli zauważył, to nic nie powiedział.

– Marco jest spoko. – Will wzruszył ramionami. – On... – Przerwał, tak jakby nie wiedział, jak ma to ująć w słowa. – Dorastając, niewiele miał. Popadał czasem w tarapaty. Ale chyba powoli zaczyna się wyluzowywać.

– On i twój tata dogadują się jakoś? – zapytałam lekkim tonem. Ale byłam naprawdę ciekawa. Czy ja umiałabym się dogadać z facetem, który posłał mojego ojca na pewną śmierć, a potem ożenił się z moją matką? Wydawało mi się, że raczej nie.

Will zamyślił się, ale nie ze smutkiem, tylko tak, jakby głęboko się zastanawiał nad moim pytaniem.

– Wiesz, wydaje mi się, że tak – powiedział wreszcie. – Dla Marca to co innego. Nie jest spokrewniony z moim tatą, więc nie ma między nimi... presji, jaka pojawia się między nim a mną.

– Więc pewnie to miałeś na myśli, kiedy mówiłeś o tym, że jest trochę dziwnie – zauważyłam. – O Marcu, twoim tacie i nowej mamie i... o tym wszystkim, co się między nimi stało i tak dalej?

Tak właśnie wygląda myślenie życzeniowe. No wiecie, wolałam, żeby Will miał kłopoty ze swoimi rodzicami, a nie ze swoją dziewczyną. Czy on coś podejrzewał? Na temat Lance'a i Jennifer? Pewnie tak. Weźmy to, co się stało na dzisiejszym meczu. Lance go nie obronił, bo stał przy linii autu i rozmawiał z Jen... A teraz ci dwoje razem gdzieś znikli...

Właśnie to musiał mieć na myśli, kiedy powiedział, że ostatnio dzieją się dziwne rzeczy. I pewnie dlatego po jego twarzy przemykał czasem cień. Prawda? No bo... prawda?

– Myślę, że częściowo tak. – Patrzył na wodę. – Ale to nie wyjaśnia wszystkiego. To nie wyjaśnia... – Oderwał wzrok od zatoki i spojrzał na mnie.

A ja wiedziałam, po prostu wiedziałam, co się za moment stanie. Nawet przymknęłam oczy, czekając na ten cios.

On mnie zaraz zapyta, myślałam. On mnie zaraz zapyta o Lance'a i Jennifer. I co ja mu mam powiedzieć? Nie mogę być tą osobą, która mu powie. Po prostu nie mogę. Oni powinni to zrobić. Lance i Jennifer! To ich wina, nie moja. To nie fair, żebym to musiała być ja!

Ale wtedy, ku mojemu kompletnemu zaskoczeniu, Will powiedział do mnie coś takiego:

– To nie wyjaśnia tego, co się dzieje między tobą a mną.

Gdyby ten meteor, o którym wcześniej fantazjowałam, nagle trzasnął z nieba i wykończył drużynę czirliderek z liceum Avalon, chyba nie zdziwiłabym się bardziej, niż słysząc te słowa. Byłam tak zaskoczona, że totalnie mnie zatkało i mogłam tylko gapić się na niego szeroko otwartymi oczami. W myślach wciąż powtarzałam: między tobą a mną, tobą a mną, tobą a mną.

Tyle że nie było żadnego „ty i ja". No, może dla mnie, ale nie dla Willa.

Prawda?

Zanim zdołałam odpowiedzieć, oderwał ode mnie wzrok i znów spoglądając na wodę, zapytał:

– Czy ty też miewasz uczucie, że to jest jeszcze nie wszystko?

Wysilałam umysł, próbując zrozumieć, co się właściwie dzieje. Obawiam się, że mi się to nie udało. Jedyna odpowiedź, jaka przyszła mi do głowy, to:

– Hm, co takiego?

– No wiesz. – Will był trochę zniecierpliwiony. Znów patrzył mi w oczy. – Czy nigdy nie zastanawiasz się, czy nie ma czegoś... więcej? Czegoś, co powinniśmy robić?

– Hm. – Okay, najwyraźniej ta rozmowa jednak do czegoś prowadzi. Mam nadzieję, że do tego, o czym wspomniał wcześniej, do tego, co niby się między nami dzieje. Na razie ustąpię mu. – Jasne. Czy nie tak powinniśmy się czuć? Inaczej nigdy byśmy niczego nie zrobili. Po prostu mieszkalibyśmy z rodzicami aż do śmierci.

Lekko się roześmiał na te słowa. Bardzo mi się podobał jego śmiech. Słysząc go, mogłam zapomnieć o... No cóż, o tym, co zobaczyłam wcześniej.

– Niezupełnie o to mi chodziło – powiedział. – Czy zdarza ci się czasem pomyśleć... – Jego niebieskie oczy były bardzo jasne w świetle księżyca – że nie żyjesz po raz pierwszy? Tak jakbyś kiedyś już to wszystko robiła, tylko jako ktoś inny?

– Hm. – Spojrzałam na niego, zastanawiając się, jakby zareagował, gdybym nagle wyciągnęła ręce, ujęła jego twarz, przyciągnęła do siebie i pocałowała. – Właściwie to nie.

– Nigdy? – Przesunął dłonią po swoich gęstych, ciemnych włosach gestem, który zaczynałam rozpoznawać jako charakterystyczny dla niego w chwilach frustracji. – Nigdy nie miałaś takiego wrażenia, że gdzieś już wcześniej byłaś? No wiesz, w takim miejscu, którego na pewno nie odwiedzałaś nigdy wcześniej. Albo czytasz coś po raz pierwszy i wiesz, że nigdy tego nie czytałaś przedtem, a i tak wydaje ci się to znajome? Słyszysz jakąś piosenkę i mogłabyś przysiąc, że już to kiedyś w przeszłości słyszałaś, chociaż wiesz, że to niemożliwe?

– No cóż – powiedziałam. Nie powinnam go całować. Mógłby się spłoszyć. Chłopcy nie lubią, kiedy to dziewczyna wykonuje pierwszy ruch. A przynajmniej tak mówi Nancy. Ale skąd ona może to wiedzieć? Przecież nigdy nie miała chłopaka. – Jasne. Ale takie uczucie ma swoją nazwę. Mówią na to déjà vu. To całkiem powszechne...

– Ja nie mówię o déjà vu – przerwał. – Mówię o tym, że wiesz, że kogoś spotkałaś już wcześniej, tak jak ja byłem prawie pewny, że już cię spotkałem, chociaż to zupełnie niemożliwe. Tego typu rzeczy. Nie czujesz tego? Że jest... jest coś... Że jest coś między nami?

Och, jasne, że czułam, że coś między nami jest. Tylko że byłam całkiem pewna, że niezupełnie o to mu akurat chodziło. Nie miałam wrażenia, że już go kiedyś spotkałam. Gdybym go spotkała, to na pewno bym to zapamiętała.

Chociaż było takie coś... Moje uczucia dla niego i ich siła. To, jak bardzo pragnęłam, żeby był mój, ale jednocześnie chciałam go chronić przed krzywdą, która będzie musiała go spotkać, kiedy dowie się – a na pewno się dowie – o Lansie i Jennifer. Nie były to uczucia, które wynikałyby z tego, że chłopak jest dla ciebie miły, kupuje ci kubek lemoniady i daje różę.

One sięgały o wiele, wiele dalej.

Może rzeczywiście istniało to coś, o czym mówił Will? Czy to możliwe, że się już wcześniej spotkaliśmy? Jeśli nie w tym życiu, to... w poprzednim?

Zanim zdążyłam mu powiedzieć, że chyba jednak wiem, o co mu chodzi, Will oparł się mocniej o balustradę i pokręcił głową.

– Wystarczy tylko posłuchać, co mówię. Może Lance i Jen mają jednak rację – powiedział kpiącym tonem. – I ja rzeczywiście zaczynam wariować.

Już samo to, że Lance i Jennifer powiedzieli mu coś takiego, sprawiło, że miałam ochotę temu zaprzeczyć. Może Lance'a obchodziło, co się dzieje z Willem – mimo że flirtował z Jen za jego plecami. To znaczy, w jakiś sposób dowiódł, że zależy mu na przyjacielu, przyprawiając o wstrząs mózgu faceta, który zablokował Willa na boisku. Widać było, że czuł się trochę nie w porządku przez to, co się stało.

Ale u Jennifer nie zauważyłam najmniejszego śladu wyrzutów sumienia. Wręcz odwrotnie. Jeszcze pamiętałam, jak mnie wypytywała o wizytę Willa, kiedy został u nas na obiedzie. Widać było, że usiłuje mnie wybadać, czy Will nie podejrzewa czegoś o niej i Lansie.

– Wcale nie zaczynasz wariować – powiedziałam z naciskiem. – Ze mną... Ze mną też się ostatnio dzieją dziwne rzeczy. Ale myślałam... Sądziłam, że to jakaś normalna rzecz, kiedy jest się nastolatkiem, czy coś...

– Nie wiem. – Will miał powątpiewającą minę. – Wydawało mi się, że nastolatek powinien myśleć, że wie już wszystko. A ja jeszcze nigdy w życiu nie byłem bardziej pewien, że nie wiem nic.

– Och – powiedziałam. – No cóż, to na pewno tylko objaw groźnego guza mózgu, który ci rośnie w głowie, tylko jeszcze nikt ci o nim nie powiedział.

A potem miałam ochotę sama sobie przykopać. Co jest ze mną nie tak? Dlaczego muszę sobie robić żarty, ile razy wygląda na to, że kroi się coś poważnego? Nancy ma rację. Jak tak dalej pójdzie, nigdy sobie nie znajdę chłopaka.

Ale Will, zamiast się obruszyć i rzucić coś w stylu: „A co ty tam wiesz, dziwaku jeden", patrzył na mnie w milczeniu przez dłuższą chwilę. A potem odrzucił głowę w tył i ryknął śmiechem.

I śmiał się naprawdę długo.

Co mi pozostało? Mogłam tylko zrobić to samo. A potem nagły poryw wiatru zwiał mi na oczy pasemko włosów. Ku mojemu zaskoczeniu, zanim zdążyłam je odgarnąć, Will wyciągnął rękę i odsunął mi kosmyk z twarzy.

A ja zamarłam. Bo on mnie dotknął. On mnie dotykał.

– Masz rację, Ellie Harrison – powiedział cicho. Nie spuszczał ze mnie oczu i miał niepewny głos. – I, wiesz co? Polubiłbym cię, nawet gdybym nie miał pewności, że w jakimś przeszłym życiu już cię kiedyś spotkałem i też bardzo polubiłem.

Czułam, że za chwilę coś się stanie. Nie żebym wyobrażała sobie, że on może mnie nagle chwycić w ramiona i pocałować tak, jak Lance całował Jennifer w pokoju gościnnym pod nami.

Chociaż nigdy nic nie wiadomo. Może by to zrobił.

Gdyby nie wydarzyły się dwie rzeczy...

Rozdział 11

Lecz swym arrasem wciąż się cieszy,
Wplatać magiczne sceny spieszy,
Bo w noc samotną nieraz słyszy:
Z ognia, w żałobie idą piesi
Z muzyką hen, do Camelot.

Najpierw jakaś chmura zasłoniła księżyc i cały wdowi balkonik pogrążył się w ciemnościach.

A potem, zupełnie nagle, drzwi otworzyły się szeroko i podbiegł do nas Kawaler. Za nim podążał jakiś chłopak. Nie wiedziałabym kto to, gdyby nie oświetliło go światło padające z klatki schodowej, kiedy stanął w otwartych drzwiach.

– Tu jesteś – powiedział Marco na widok Willa. Nie mógł mu umknąć gest, jakim Will cofnął dłoń od moich włosów i zaczął nią głaskać posapującego psa. – Szukałem cię wszędzie. Nie znalazłbym cię, gdyby nie ten cholerny pies. Nie słyszałeś, jak szczekał?

Will klepnął Kawalera po raz ostatni, a potem się wyprostował.

– Nie – odpowiedział. Jego głos, który drżał z emocji zaledwie chwilę wcześniej, teraz brzmiał zupełnie normalnie. Nie mogłam się zorientować, czy podobnie jak mnie, nie podobało mu się najście jego brata. – Dlaczego? Co się stało?

– Muszę znaleźć Jen – powiedział Marco. – Jej samochód blokuje podjazd jednemu z sąsiadów.

Will potrząsnął głową jak ktoś, kto właśnie wynurza się na powierzchnię, po nurkowaniu w bardzo głębokiej wodzie.

– Co? – Zamrugał parę razy powiekami. – Jen?

– Tak. – Marco spojrzał na mnie. Bez pretensji. Tylko tak jakoś oceniająco, jakby zastanawiał się, kim jestem i co zrobiłam, że jego przyszywany brat zaczął się nagle jakoś tak głupawo zachowywać.

Mogłam mu to powiedzieć w dwóch słowach. Nikim i nic.

A może to trzy słowa?

– Myślałem, że znajdę Jen z tobą – powiedział Marco. Teraz zabrzmiało to już jak oskarżenie.

– Nie widziałem Jen, odkąd poszła poprawić szminkę pół godziny temu – powiedział Will tak, jakby się tym wcale nie przejmował.

– No cóż, będzie musiała przestawić samochód – oświadczył Marco. – Pani Hewlitt nie może wjechać i grozi, że zadzwoni po policję.

Will mruknął pod nosem coś, co zabrzmiało jak przekleństwo. A potem odwrócił do mnie.

– Przepraszam, Elle. Musze ją znaleźć.

– Nie ma sprawy – powiedziałam szybko. Miałam nadzieję, że nie widać po mnie rozczarowania, że nam w taki sposób przerwano. Przecież, mimo wszystko, znów nazwał mnie Elle. – I tak powinnam już iść. Liz i Stacy pewnie zastanawiają się, gdzie zniknęłam.

Will miał przez chwilę taką minę, jakby nie wiedział, o kim mówię. A potem pokiwał głową i stwierdził:

– No tak, racja. Chodźmy. Sprowadzę cię na dół.

Ruszył do drzwi prowadzących na schody. Kawaler trzymał się tuż przy jego nodze. Poszłam za nimi, a z tyłu wlókł się Marco. Kiedy schodziliśmy z powrotem na piętro, Marco zapytał:

– Nie przedstawisz mnie swojej koleżance?

Nie bardzo mi się spodobał ton jego głosu. Chociaż nie umiałabym wyjaśnić dlaczego.

– O, przepraszam – powiedział Will. – Elaine Harrison, to mój przyszywany brat, Marco Campbell. Marco, to jest Ellie.

– Cześć – odezwałam się do Marca przez ramię, wchodząc na korytarz.

Marco uśmiechnął się szeroko, jednym z takich uśmiechów, które w książkach opisuje się jako wilcze.

– Miło mi cię poznać, Elaine – powiedział. A do Willa dodał: – Ktoś mi mówił, że widział, jak Jen tu wchodziła. – Skinął głową w stronę drzwi, za którymi znalazłam całującą się parę.

– A, super – powiedział Will.

I zaczął wyciągać rękę do klamki...

– Nie, czekaj! – krzyknęłam, zanim zorientowałam się, co robię. Will spojrzał na mnie pytająco. Pies, prawdę mówiąc, też. Marco jako jedyny nie wydawał się zaskoczony, tylko trochę... zły?

Wtedy zrozumiałam.

Nagle znów zrobiło mi się od nowa niedobrze. Tyle że nie miałam teraz czasu na rzyganie.

– Czy to nie była ona, tam, przed chwilą? – wyjąkałam.

Dłoń Willa nadal wisiała nad tą klamką.

– Gdzie? – zapytał.

– To nie ona cię przed chwilą wołała? – Prawie się potykając o własne nogi, podbiegłam do szczytu schodów prowadzących na parter. – Zaraz tam zejdzie! – zawołałam. Goście stojący u stóp schodów spojrzeli na mnie, jakbym była szalona.

Ale to nie miało znaczenia, bo Will nie mógł ich widzieć.

– Jest na dole – powiedziałam do Willa.

I ku mojej niebotycznej uldze jego dłoń opadła i nie sięgała już w stronę klamki.

– Aha, świetnie. To do zobaczenia.

I zaczął schodzić po schodach.

To wtedy to się stało. Potem, gdy się nad tym zastanawiałam, nie bardzo umiałam to opisać.

Wiem tylko, że Will ruszył w stronę schodów, a ja spojrzałam na Marca, żeby zobaczyć, czy pójdzie za nim...

Marco obserwował mnie z rozbawionym uśmieszkiem na twarzy, jakbym była kotem, który nagle zaczął czytać w gazecie ogłoszenia o pracy. Na głos.

– Will – powiedział, nie odrywając ode mnie oczu, tak ciemnych, jak oczy jego brata były jasne. – Dlaczego nie zaprosisz Ellie, żeby wybrała się z nami jutro na żagle?

– Hej! – Will przystanął u szczytu schodów i obejrzał się na mnie. – To świetny pomysł. Lubisz żeglować, Elle?

Elle. Musiałam przełknąć ślinę.

– Hm. – Co się tutaj dzieje, myślałam. Niezależnie od tego, jak zachwycona byłam tym, że zostanę włączona w jakiekolwiek plany Willa, nie mogłam się nie zastanawiać, dlaczego Marco chciał, żebym z nimi pojechała. Przecież nawet mnie nie znał.

A sądząc po tym, jak na mnie patrzył, wcale nie byłam pewna, czy mnie w ogóle lubi. Zwłaszcza że oboje – Marco i ja – wiedzieliśmy o tym, co przed chwilą zrobiłam.

– Sama nie wiem – powiedziałam niepewnie. – Nigdy nie żeglowałam. W domu, w Minnesocie nie żegluje się zbyt często.

– Och, spodoba ci się – zapewnił Marco. – Prawda, że tak? Will?

– Na pewno – powiedział Will z entuzjazmem. – Spotkajmy się przy pomniku Alexa Haleya w porcie miejskim jutro w południe. Wiesz, gdzie to jest? – A kiedy pokiwałam głową, dodał: – Świetnie. To do zobaczenia.

A potem szybko zbiegł po schodach szukać Jennifer i zostawił mnie sam na sam z Markiem

Tyle że ja nie miałam zamiaru stać tam i prowadzić z nim niezobowiązujących pogaduszek.

– To do zobaczenia jutro – powiedziałam i ruszyłam w stronę schodów. Miałam wrażenie, że z każdym uderzeniem serce mi podpowiada: „Wynoś się stąd".

Ale nie uciekłam stamtąd wystarczająco szybko. Głos Marca wystrzelił przez korytarz niczym ramię, niemal fizycznie pociągając mnie z powrotem w jego stronę.

– Tak naprawdę wcale nie słyszałaś Jen na dole. Prawda, Elaine z Minnesoty?

Zamarłam. Jedną stopą stałam już na schodach, ale nie zeszłam niżej. Z jakiegoś powodu stężała mi krew w żyłach.

– Przepraszam? Ja... nie wiem, o czym ty mówisz.

– Och, wiesz doskonale. – Marco mrugnął okiem. A potem podszedł do drzwi, których o mały włos nie otworzył przedtem Will, i załomotał do nich krawędzią dłoni.

– Jen! – zawołał. – Jesteś tam?

Chwila ciszy. A potem wysoki dziewczęcy głos odezwał się przez drzwi.

– Hm, tak, sekundkę! Zaraz wychodzę.

Marco obejrzał się na mnie i pokręcił głową.

– Niezły numer – powiedział. – Ale on będzie musiał kiedyś się o tym dowiedzieć.

A więc miałam rację. Marco wiedział. Przez cały czas. Chciał, żeby Will otworzył drzwi i znalazł w środku tych dwoje.

Co za chory człowiek jest do czegoś takiego zdolny?!

Przyszywany brat Willa, jak widać.

– Hm – mruknęłam, usiłując udawać idiotkę. On wiedział. Ale to nie było jeszcze najdziwniejsze. Ja wiedziałam, że on wiedział. – Muszę iść...

Ale Marco nie dał się na to nabrać. Długimi krokami przebił dzielącą nas odległość i złapał mnie za ramię palcami, które były tak zimne, że aż mnie sparzyły. Przytrzymał mnie w żelaznym uścisku, więc nie mogłam nawet uciec w dół po schodach, tak jak planowałam.

– Co ty tak w ogóle usiłujesz zrobić? – zapytał szyderczo. – Ochraniać go?

– Puść moją rękę. – Głos mi nieco drżał. Coś w tym jego dotyku naprawdę mnie przerażało.

I nie byłam jedyną osobą, która to wyczuwała. Usłyszałam jakiś niski dźwięk dochodzący gdzieś z okolicy moich stóp. Spojrzałam w dół i zobaczyłam psa Willa, Kawalera. Nie poszedł na dół za swoim panem, ale przyczaił się na dywanie i warczał cicho na Marca.

Naprawdę. Warczał na Marca.

On też to zauważył. Zirytowany rzucił do psa:

– Odwal się ode mnie, ty głupi kundlu.

A potem Marco odepchnął mnie tak mocno, że kolana się pode mną ugięły i musiałam się złapać poręczy, żeby nie spaść ze schodów.

Kawaler przestał warczeć. Podbiegł do mnie i polizał po ręce w tym miejscu, którego dotykał Marco.

– Och, dajcie spokój – powiedział Marco sarkastycznym tonem, patrząc na to wszystko. A potem, gapiąc się na mnie, na to, jak szybko oddycham, i moją pobielałą dłoń zaciśniętą na poręczy, pokręcił głową jeszcze raz i dodał: – Ty nawet nie powinnaś stawać po jego stronie. Miał ci się podobać ten drugi. I co z ciebie za Pani Nenufarów?

Patrzyłam na niego, mrugając powiekami. Pani Nenufarów? Ach, racja. Pani Nenufarów z Astolat to kolejny przydomek Elaine – tej, po której odziedziczyłam imię. Dziwne. I trochę niespodziewane w ustach faceta z tatuażem.

– Nie wiem, o czym mówisz. – Głos mi drżał, ale z Kawalerem u boku czułam się nieco pewniej. – Wydaje mi się, że powinieneś dać spokój Willowi.

Marco wydawał się szalenie rozbawiony.

– Twoim zdaniem powinienem dać spokój Willowi? – spytał drwiąco. – Czy na pewno o to chodzi? Chryste, Mortonowi nieźle się wszystko pomieszało.

Mortonowi? Panu Mortonowi? O czym on w ogóle mówił?

– Tobie się wydaje, że to, co teraz przechodzi Will, jest niefajne? – Marco pokręcił głową, a jego wilczy uśmiech powrócił, szerszy niż kiedykolwiek. – No to czeka cię niespodzianka.

Drzwi do pokoju gościnnego otworzyły się i ze środka wyszła Jennifer, wsuwając kosmyk włosów pod spinkę, spod której się wymknęły.

– Cześć, ludzie – powiedziała pogodnie. Zbyt pogodnie. – Przepraszam, rozmawiałam przez telefon z mamą. Ktoś mnie szukał?

Patrzyłam na nią w milczeniu. Nie mieściło mi się w głowie, że ktoś tak miły na pierwszy rzut oka w środku jest taki…

Zimny.

A potem, kiedy Marco się nie odezwał, a Jennifer spojrzała na mnie pytająco, wyjąkałam:

– M-musisz przestawić swój samochód. – Nadal było mi niedobrze, ale starałam się to ukryć. – Zablokowałaś wyjazd komuś z sąsiadów.

Jennifer miała taką minę, jakby nic nie chwytała.

– Ależ ja zaparkowałam na podjeździe Wagnerów.

Zerknęłam na Marca. Mrugnął do mnie okiem.

– Jutro będzie się fajnie żeglowało – powiedział. – Nie sądzisz, Elaine?

Rozdział 12

Tafla się mieni rycerzami,
Jadą samotnie lub dwójkami.
Wiernego serca brak czasami
Pani na Shalott.

Stacy i Liz nie były specjalnie zachwycone tym, że musiały czekać na mnie tyle czasu.

– Boże, coś ty robiła? – spytała Stacy, kiedy wreszcie zeszłam ze wzgórza chwiejnym krokiem. – Szłaś okrężną drogą?

– Przykro mi – odezwałam się do nich. I naprawdę mówiłam szczerze. Było mi przykro.

Tylko że z zupełnie innego powodu.

W czasie jazdy do domu byłam milcząca. Może trochę zbyt milcząca, bo Liz zapytała:

– Nic ci nie jest, Ellie?

Powiedziałam, że nic. Chociaż wiedziałam, że to kłamstwo. Jak mogłoby mi nic nie być po tym, co się wydarzyło? To właśnie była część mojego problemu. Bo co dokładnie się wydarzyło? Tak naprawdę sama tego nie wiedziałam.

No więc odkryłam, że Jennifer zdradza Willa. Z jego najlepszym przyjacielem. I co z tego? Przecież to nie miało nic wspólnego ze mną.

Spotkałam przybranego brata Willa i odbyłam z nim dziwną rozmowę. Wielkie rzeczy. Chłopcy w ogóle są dziwni.

A ci, których ojcowie zginęli z winy nowych mężów ich matek, są pewnie jeszcze dziwniejsi niż reszta. Więc czego mogłam się spodziewać?

Mimo to cała ta sprawa z Markiem wydawała mi się po prostu... Sama nie wiem, dziwniejsza niż wszystko inne, co mi się przytrafiło? Sposób, w jaki pies zawarczał na niego, kiedy dotknął mojego ramienia. I to, jak ze mną rozmawiał. Jakbyśmy kontynuowali jakąś wymianę zdań zaczętą w przeszłości. Tyle że przecież my się dopiero co poznaliśmy! I dlaczego wspomniał o *Pani na Shalott*? I jeszcze pana Mortona. Co z tym wszystkim miał wspólnego jakiś nauczyciel?

Chyba że...

– Hej! – Pochylałam się naprzód z tylnego siedzenia samochodu Stacy. – Kim był ten nauczyciel, którego podobno zaatakował Marco Campbell?

Liz grzebała przy odtwarzaczu CD Stacy, usiłując znaleźć jakiś utwór, który lubiła.

– Słyszałam, że to pan Morton.

– Boże, Liz! – Stacy wybuchnęła śmiechem. – Ty to sobie lubisz poplotkować!

– Moja mama tak słyszała – powiedziała Liz obronnym tonem – od mamy Chloe Hartwell. A ta dowiedziała się tego od swojej kuzynki, która jest dyspozytorką na komisariacie policji Annapolis.

– Och. – Stacy nadal się śmiała. – W takim razie to na pewno prawda.

– Dlaczego to zrobił? – zapytałam. – To znaczy, dlaczego usiłował zabić pana Mortona?

Liz wzruszyła ramionami.

– Kto wie? Marco nie jest do końca normalny. Wiesz, co mam na myśli?

Czy wiedziałam...?

Stacy zatrzymała samochód pod moim domem i powiedziała:

– Nadal musisz przejść swoją inicjację. Nie zapomnij!

– Dam wam znać – powiedziałam. – I dzięki, dziewczyny. Za to, że dzisiaj tam ze mną poszłyście.

– Moja pierwsza impreza z topowym towarzystwem. – Liz westchnęła.

– I moja ostatnia – dodała sucho Stacy. A potem pomachała mi i odjechała.

Kiedy weszłam do środka, mama i tata jeszcze nie spali. Oglądali wiadomości.

– Cześć, kotku – przywitała mnie mama. – Jak ci poszło? Dobrze się bawiłaś?

– Świetnie. Było fajnie. Avalon wygrał mecz. Jutro jadę na żagle z Willem.

– Brzmi nieźle. Czy Will jest doświadczonym żeglarzem?

– Jasne – zapewniłam, chociaż nie miałam zielonego pojęcia, czy to prawda. Wiedziałam tylko tyle, że on i Lance latem żeglowali wzdłuż wybrzeża.

– Ale nie włożysz tej spódnicy na jacht, prawda? – zawołał za mną tata, kiedy wbiegałam po schodach do swojego pokoju.

– Nie martw się, nie włożę! – odkrzyknęłam. – Dobranoc!

Bo po tym wszystkim, co się stało, ostatnia rzecz, na jaką miałam ochotę, to siedzieć i gadać z mamą i tatą. Potrzebowałam... Potrzebowałam...

Nie wiedziałam, czego potrzebuję.

Wzięłam prysznic, włożyłam piżamę i weszłam do łóżka. A potem patrzyłam na różę, którą dał mi Will. Była teraz w pełnym rozkwicie, jej płatki lśniły w świetle nocnej lampki.

Chciało mi się spać, ale wiedziałam, że jeśli zgaszę światło, nie zasnę. Byłam za bardzo nakręcona. Nie mogłam przestać myśleć o Marcu. Skąd wiedział, że dostałam imię po Elaine, Pani Nenufarów? To nie jest postać literacka znana chłopakom w jego wieku.

I co niby miała znaczyć ta uwaga, że podoba mi się nie ten facet, co trzeba, że powinnam się zakochać w Lancelocie, a nie w Willu? Bo Elaine kochała się w Lancelocie?

Boże, to idiotyczne. To nawet nie było zabawne. Jedyna rzecz, która łączyła mnie i moją imienniczkę, i to w bardzo odległy sposób, to upodobanie do unoszenia się na wodzie... Ja robiłam to na materacu w basenie, a Elaine z Astolat wypłynęła łodzią w poszukiwaniu śmierci...

Jeśli – według rozumowania Marca – ja byłam Elaine, a Lance był Lancelotem, to oznaczało, że Jennifer jest Ginewrą. Co było nawet dość zabawne, bo imię Jennifer pochodzi właśnie od Ginewry... To taki mały drobiazg, którego nie sposób nie wiedzieć, jeśli jest się córką dwojga naukowców specjalizujących się w średniowieczu.

Idąc dalej tym tropem – no wiecie, że Lance to Lancelot, ja jestem Elaine, a Jennifer to Ginewra – Will może być tylko królem Arturem. Co znaczy, że Marco musi być Mordredem, facetem, który na koniec zabija Artura i doprowadza do upadku Camelotu po tej całej aferze z Ginewrą...

Tyle że, jak mi się zdaje, Mordred miał być przyrodnim bratem Artura, a nie przybranym...

A jednak, jeśli do tego wszystkiego dodać fakt, że nasza szkoła nazywa się liceum Avalon, a drużyna to Ekskalibury?

Dziwaczne.

Może Marco wcale nie starał się żartować. Może on to rozumiał dosłownie.

Tak. A może jutro tata pożyczy mi swój samochód i pozwoli pojeździć nim samej. I żaden dorosły z normalnym prawem jazdy nie będzie siedział obok?

W sumie co mnie to obchodziło, jeśli przybrany brat Willa chciał mnie porównywać z jakąś laską, która się zabiła z miłości do legendarnego rycerza z Camelotu? Nawet jeśli to miała być obelga, to nie bardzo dotkliwa. Oczywiście Marco nie mógł wiedzieć o mojej antypatii do wszystkiego co średniowieczne.

Co tylko sprawiało, że to wszystko wydawało mi się jeszcze głupsze.

Poza tym...

Poza tym, że nic z tego nie wyjaśniało tych jego zimnych palców. Ani sposobu, w jaki zareagował Kawaler, kiedy Marco mnie dotknął. No i tego, co miał na myśli, wspominając pana Mortona. I dlaczego chciał, żeby Will dowiedział się o Lansie i Jennifer w taki okropny sposób...

Nadal było mi niedobrze, ale przekręciłam się na bok i zgasiłam lampkę. Leżąc w półmroku, usłyszałam jakiś głuchy odgłos. A po chwili Berek dołączył do mnie na swoją nocną porcję przytulanek.

Tylko że dzisiaj, z jakiegoś powodu, nie mógł się uspokoić. Wciąż obwąchiwał to miejsce, gdzie Kawaler mnie polizał – a Marco przedtem dotknął – chociaż dokładnie umyłam je pod prysznicem. Światło księżyca wlewało się do pokoju pomiędzy żaluzjami. Zerknęłam na Berka i widziałam, że ma minę, którą Geoff nazywał Kocią Mordą – z na wpół otwartym pyszczkiem, jakby zwąchał coś nieprzyjemnego.

A potem, po raz ostatni obwąchawszy moje ramię, rzucił mi spojrzenie, które jasno wskazywało, że go w jakiś sposób zawiodłam. Na sztywnych łapach zeskoczył z łóżka i poszedł spać gdzie indziej.

Co znaczyło, że jest naprawdę rozzłoszczony.

Leżałam i myślałam o tym, że naprawdę wszystko mi się świetnie układa. Nawet mój własny kot już mnie nie lubi. I w ogóle, co się stało na tej imprezie dziś wieczorem? Jak z tego wybrnąć?

No bo co ja w ogóle mogłam zrobić? To znaczy, pewnie mogłabym porozmawiać z Lance'em. I tak musiałam to zrobić, chodziło w końcu o naszą pracę półsemestralną. Przy tej okazji mogłabym też przekonać Lance'a, żeby wyznał przyjacielowi prawdę. Lepiej byłoby dla Willa dowiedzieć się o wszystkim w taki sposób niż tak, jak zaplanował to dla niego Marco...

Żałowałam, że zgodziłam się płynąć na żagle z Willem i całą resztą następnego dnia. Nie miałam ochoty patrzeć, jak Will i Jennifer trzymają się za ręce, nawet jeśli wyglądali przy tym naprawdę słodko. Wiedziałam, że to ich uczucie – no cóż, przynajmniej ze strony Jennifer – było zwykłym oszustwem.

I byłam dosyć pewna, że Marco zrobi coś, co wszystkim sprawi przykrość – a już na pewno Willowi – bo dzisiaj wieczorem nie udało mu się zrealizować swojego obrzydliwego planu.

Ale... Jakaś część mnie chciała jechać na żagle z Willem. Ta cząstka chciała robić z Willem cokolwiek, po prostu po to, żeby być blisko niego, i była w nim zakochana, mimo że miał już dziewczynę. Ta część mnie, za każdym razem kiedy widziałam jakąś różę, zaczynała myśleć o Willu...

Boże, ale mnie dopadło.

Niestety, romantyzm okazał się silniejszy niż praktycyzm, bo kiedy się obudziłam następnego dnia rano, nie miałam cienia wątpliwości, że pojadę na żagle z A. Williamem Wagnerem i spółką.

Zresztą nie chodziło tylko o to, żeby spędzić trochę czasu z Willem. Obudziłam się z uczuciem, że ta wycieczka to mój obowiązek. W ten sposób sama będę mogła mieć oko na Marca. Nie pozwolę, żeby narobił kłopotów swojemu bratu.

Tylko... dlaczego? Dlaczego on miałby chcieć w taki sposób zranić Willa? Nie mogłam sobie wyobrazić, żeby Will zrobił mu coś złego. A może chodziło o jego ojca? Może Marco nie mógł znieść tego, że ojciec Willa ożenił się z jego matką? W sumie mogłabym to zrozumieć, gdyby plotka, że admirał Wagner wyznaczył tacie Marca placówkę, gdzie czekała go pewna śmierć, była prawdą. Ale żeby od razu mścić się na Willu? Przecież to jego ojciec był winny.

Tak jak powiedział, Will czekał na mnie przy pomniku Alexa Haleya, stojącym na końcu alei, którą miejscowi nazywają Aleją Ego, w porcie miejskim u wylotu ulicy Głównej w centrum Annapolis. Kiedy podjechaliśmy tam z rodzicami, zrozumiałam, dlaczego mówią na nią Aleja Ego... Pełno tam było jachtów. A żeby je wyprowadzić w morze, należało przepłynąć obok tych wszystkich kawiarenek na świeżym powietrzu i barów, gdzie przez cały dzień tuż nad wodą siedzieli ludzie i obserwowali łodzie. To było zupełnie jak pokaz mody w centrum handlowym, tylko dotyczyło jachtów.

Alex Haley, który napisał *Korzenie*, musiał mieszkać w Annapolis, bo cały port nosił jego imię. Pisarz miał tam wielki pomnik. U jego podstawy leżały postacie, dzieci, zupełnie jakby Haley czytał im jakąś historię. Will opierał się o posąg jednego z dzieci i czekał na mnie.

W tej samej chwili, w której go zobaczyłam, moje serce wykonało salto w piersi. To dlatego, że przez moment wydawało mi się, że on tam jest sam... Że jakimś cudem na tej łódce będzie nas tylko dwoje. Ale wtedy mignęła mi jasna głowa Jennifer. Ona, Lance i Marco czekali w gumowym pontonie na wodzie tuż poniżej poziomu nabrzeża. Ponton miał nas zabrać na jacht Willa, zacumowany w niewielkiej odległości od brzegu. Moje serce, zamiast kontynuować gimnastykę, zamarło na moment.

A potem zatrzymało się już na zawsze, bo rodzice zdecydowali się wysiąść razem ze mną z samochodu i pójść pogadać z Willem. Uważali go chyba za swojego bliskiego przyjaciela. W końcu pozwolili mu zmieść z talerza całą naszą tajszczyznę, nosić kąpielówki mojego brata i tak dalej.

– Hej – rzucił mój tata, opierając łokieć na ramieniu Aleksa Haleya. – Ładny dzień na żeglugę.

– Tak, proszę pana. – Will wyprostował się i patrzył na nas z uśmiechem. Założył raybany, żeby chronić oczy przed jaskrawym słońcem. Ciepła bryza mierzwiła mu ciemne, kręcone włosy i szarpała rozpięty kołnierzyk niebieskiej koszulki. – Cieszę się, że mogłaś przyjechać – powiedział do mnie.

Ale zanim zdążyłam się odezwać, mama zaczęła zasypywać Willa tymi wszystkimi niespokojnymi pytaniami: od jak dawna żegluje, czy ma na pokładzie dość kamizelek ratunkowych... Tego typu rzeczy. No wiecie, wymarzone pytania, jakie może zadawać wasza mama chłopakowi, w którym się potężnie durzycie, kiedy on zaprosił was na żagle.

Niekoniecznie.

Odpowiedzi Willa musiały zadowolić mamę, bo wreszcie uśmiechnęła się do mnie szeroko i powiedziała:

– No cóż, Ellie, przyjemnej wycieczki.

A mój tata dorzucił:

– Baw się dobrze, mała.

A potem razem wrócili do samochodu i pojechali na późne śniadanie do Chick & Ruth's Delly.

Popatrzyłam na Willa i powiedziałam:

– Przepraszam.

– Nie ma problemu – odparł z szerokim uśmiechem. – Oni się o ciebie troszczą, to wszystko. To bardzo miłe.

– Proszę, po prostu zastrzel mnie już teraz – zaczęłam go błagać, a on się roześmiał.

– Możemy płynąć? – zawołała Jennifer z pontonu. – Tracimy najlepsze słońce.

– Ach, Boże broń, żeby królowa balu maturalnego miała być nieopalona – odezwał się Marco, na co Jennifer żartobliwym ruchem uderzyła go w ramię.

Lance trzymał w ręku ster. Po prostu siedział obok niego i uśmiechał się szeroko do przyjaciół. Muszę przyznać, że wyglądał bosko w koszulce bez rękawów, która ukazywała bicepsy wielkości grejpfrutów.

– Jestem z Jen – powiedział. Niezbyt fortunny dobór słów dla tych z nas, którzy we wszystkim się orientowali. – Mam powyżej uszu turystów. Cały czas się na nas gapią.

Rzeczywiście, kilku ludzi w trykotowych koszulkach z napisami *NIE DRĘCZ MNIE, JESTEM MIEJSCOWY* zaczęło pytać Willa i mnie, czy nie wiemy, gdzie tu jest kolejka po bilety na „Woodwind", statek wycieczkowy, który opływał zatokę. Will pokazał im, gdzie muszą iść, a potem podał mi coś, co wyjął z dna pontonu. Była to kamizelka ratunkowa. Na szczęście nie jedna z tych pomarańczowych, wielkich i grubych, w których człowiek wygląda jak Pillsbury Doughboy, ale modna, cienka i granatowa.

Zawiązywałam ją, kiedy obok pomnika Haleya pojawiła się grupka młodzieży, mniej więcej w naszym wieku, i zaczęła się ładować do niewielkiej motorówki, która kołysała się na wodzie niedaleko od nas. Mieli ze sobą jedną z takich wielkich nadmuchiwanych dętek. Kiedy wrzucali ją do swojej łodzi, zahaczyła o bok pontonu obok – o wiele bardziej eleganckiego niż nasz. Siedzieli w nim jacyś starsi państwo, szykując się do podpłynięcia pod swój jacht.

– Przepraszam, przykro mi! – usłyszałam, jak zawołał jeden z chłopaków i z powrotem wsadził dętkę do łodzi.

– Przykro ci? – Starszy pan był wyraźnie zdegustowany i rozzłoszczony. – To mnie jest przykro. Że zaczęto pozwalać takim ludziom jak wy rządzić w tym kraju.

Przestałam mocować się ze swoją kamizelką ratunkową i po prostu stałam tam jak osłupiała. W Minnesocie nikt nie mówi takich rzeczy.

– Hej, facet! – odezwał się inny chłopak z tej motorówki. – On nie chciał nic...

– Dlaczego nie wrócicie tam, skąd przyjechaliście? – złościł się dalej starszy pan, a jego żona patrzyła przed siebie, zaciskając usta i mocno ściskając kolana.

– Może raczej pan wróci tam, skąd przyjechał?

Nie powiedział tego żaden z chłopaków z motorówki, tylko Will.

Starszy pan miał tak samo zaskoczoną minę, jak ja. Rzucił Willowi zdziwione spojrzenie spod swojej małej kapitańskiej czapeczki, a potem odezwał się głosem pełnym dezaprobaty:

– Wybacz, młody człowieku, ale ja się urodziłem w tym kraju, tak samo jak moi rodzice.

– Tak, a ich rodzice? – spytał go Will. – Bo jeśli nie jest pan amerykańskim Indianinem, to chyba raczej nie może pan mówić innym ludziom, żeby wracali do własnego kraju.

Żona starszego pana, słysząc to, aż otworzyła usta. A potem szturchnęła męża łokciem, a on z furią odpalił silnik pontonu.

– Kiedyś przyjemnie tu się mieszkało – powiedział starszy pan z naciskiem, a potem jego ponton powolutku odpłynął.

Patrzyliśmy, jak płyną z żoną wzdłuż Alei Ego... a potem wymieniliśmy spojrzenia.

– Niektórzy ludzie – odezwał się do mnie Will łagodnym tonem – mają więcej pieniędzy niż rozumu.

Westchnęłam.

– Nie mógłbyś ująć tego lepiej.

A wtedy Will pomógł mi wsiąść do pontonu...

Rozdział 13

Tam rzeka snuje się wirami,
Kmieć chodzi obok pól bruzdami.
Wieśniaczek płaszcze z kapturami,
Czerwienią wzgórza Camelot.

Co wcale nie było takie łatwe, biorąc pod uwagę, że w środku nie było zbyt wiele miejsca. Tkwiłam ściśnięta między Markiem i Lance'em, a Jennifer znalazła się w niewygodnej – albo godnej pozazdroszczenia, zależy jak na to spojrzeć – pozycji, stłoczona między Lance'em a Willem. Chociaż nie wyglądało na to, żeby jej to przeszkadzało.

– O co w tym wszystkim chodziło? – spytała.

– Ach, to cały Will – odezwał się Marco znudzonym głosem. – Znów się bawi w rycerza.

– Gotowi? – spytał Will, ignorując przytyk brata. – To wasza ostatnia szansa, jeśli potrzebujecie czegoś na brzegu. Przez dłuższy czas nie zobaczymy lądu.

Kiedy nikt nie zaprotestował, Will uruchomił silnik i ponton z warkotem ruszył w stronę jachtu Willa, „Pride Winn".

Zrozumiałam już wtedy, że mimo nieprzyjemnej sceny w Alei Ego podjęłam dobrą decyzję, jadąc na żagle. Och, nie żeby to była aż taka frajda patrzeć, jak Will i Jennifer siedzą przy sobie tak blisko, że stykają się ramionami (Lance dotykał jej ramieniem z drugiej strony). Nie było też wcale takie przyjemne, patrzeć, jak Marco pokazuje brzydkie gesty ludziom siedzącym na fotelach przed barami i obserwującym, jak wypływamy (najwyraźniej nikt z nim nigdy nie rozmawiał o wizerunku).

Za to wspaniale się czułam ze słoną bryzą we włosach, pozwalając chłodnemu powietrzu owiewać sobie twarz. Cieszyła mnie prędkość, z jaką ponton pruł wodę. Zobaczyłam nawet kaczkę ze stadkiem młodych. Pośpiesznie usuwały się nam z drogi.

Wreszcie dopłynęliśmy do jachtu Willa. Był długi, lśniący i cały połyskiwał bielą. Miał drewniane wykończenia i wysoki, smukły maszt. Na jego widok stwierdziłam, że wszystkie te nieprzyjemne chwile naprawdę warto było znieść.

Okazuje się, że zanim można wyprowadzić jacht w morze, trzeba zrobić całą masę rzeczy. Krzątaliśmy się po pokładzie, wykonując polecenia Willa, a czasami Lance'a. A przynajmniej Jennifer i ja się krzątałyśmy. Marco robił to, na co miał ochotę. Chociaż częściowo wiązało się to chyba z przygotowaniem „Pride Winn" do żeglugi.

Głównie jednak zajmował się szczerzeniem do mnie zębów, ile razy Jennifer, kręcąc się po pokładzie, natykała się na Lance'a i musiała mówić: „Przepraszam", takim uprzejmym głosem, którego na pewno nie używała, kiedy tych dwoje było ze sobą sam na sam.

Nie zdążyliśmy jeszcze wciągnąć żagli, a już miałam dość tych porozumiewawczych uśmieszków. Planowałam, że zamienię słówko na osobności z Lance'em, zanim wyruszymy, ale nie wyszło. Miałam zacząć od pana Mortona, a potem od niechcenia wspomnieć o tym, że wiem o nim i o Jennifer... i co gorsza, Marco też wie. Potem zapytam, czy nie mógłby czegoś w tej sprawie zrobić. Na przykład, przyznać się Willowi.

Teraz też nie było szans na rozmowę. Niełatwo jest znaleźć odrobinę prywatności na jachcie, nawet tak dużym, jak „Pride Winn". Ani razu nie znaleźliśmy się na tyle daleko od innych, żebym mogła powiedzieć to wszystko Lance'owi, nie obawiając się, że ktoś nas podsłucha.

A potem, kiedy żagle wypełniły się wiatrem i mknęliśmy po błękitnej wodzie, trudno było się martwić czymkolwiek. Morska bryza chłodziła nas tak, że nie czuliśmy upalnego słońca. Wszyscy zdawali się przepełnieni tą radością, nawet Marco, który pochwycił moje spojrzenie i powiedział z uśmiechem:

– To dopiero jest życie, co?

– Rzeczywiście. – Pomyślałam, że może się co do niego pomyliłam, może, mimo wszystko, nie był taki zły. – Macie wielkiego farta.

– Farta? – Spojrzał na mnie z zaciekawieniem. – Dlaczego?

– No cóż, bo macie jacht – powiedziałam. – My mamy tylko przyczepę samochodową.

Jego uśmiech wydawał się całkiem szczery.

– To nie ja mam farta. Will go ma. To jego jacht. Dopóki moja mama nie wyszła za jego tatę... No cóż, nie mieliśmy nawet przyczepy samochodowej, że tak to ujmę.

I wtedy cała ta serdeczność między nami rozpłynęła się jak mgła, bo Marco rzucił nagle Willowi spojrzenie, które mogłabym opisać jedynie jako niemiłe, zupełnie niesympatyczne.

W tej samej chwili Will, który nie zauważył tego spojrzenia, zapytał:

– Jak sądzisz, Elle? Uda nam się zrobić z ciebie żeglarza?

A ja zapomniałam zupełnie o tym, co powiedział Marco. Will wyglądał tak przystojnie, stojąc za kołem sterowym. Wiatr rozwiewał mu włosy. A on znowu mówił do mnie Elle.

– Na pewno – powiedziałam z przekonaniem. Będę musiała namówić rodziców na kupno łodzi. Nie będzie to łatwe, bo wiedzieli o morzu tyle samo co o przydomowych basenach. Ale żeglowanie było zbyt fajne, żeby nie móc go uprawiać regularnie. Biło na głowę nawet dryfowanie po basenie. Bo pływając na materacu, nie da się zjeść piknikowego lunchu. To znaczy, można, ale nie sposób się przy tym nie upaćkać.

Mama Marca zapakowała nam mnóstwo różnych specjałów, włącznie z roladkami krabowymi i domowej roboty sałatką ziemniaczaną. Była lepsza niż ta z Red Hot and Blue's. Jest coś takiego w żeglowaniu, co przyprawia człowieka o wilczy głód. Jedząc, wszyscy rozmawiali o imprezie z poprzedniego wieczoru. O tym, co kto miał na sobie, i o tym, kto się z kim zszedł. Zauważyłam, że najwięcej mówiła Jennifer. Może próbowała tak pokierować rozmową, żeby nikt nie zapytał jej, gdzie właściwie zniknęła na większość wieczoru?

Zapamiętałam sobie, że mam powtórzyć Liz, że tym właśnie zajmują się ludzie na topie – a przynajmniej dziewczyny – po imprezach... Plotkują o wszystkich, którzy tam przyszli, za ich plecami.

Dopiero kiedy kończyliśmy lunch, udało mi się zapytać Willa o coś, co nurtowało mnie od samego początku wycieczki. Chodziło o nazwę jego jachtu.

Marco, który usłyszał pytanie, roześmiał się głośno.

– Tak, człowieku – odezwał się do Willa. – Powiedz jej, co znaczy „Pride Winn".

Will rzucił Marcowi żartobliwie złowrogie spojrzenie, a potem powiedział z zażenowaną miną:

– To w sumie nic nie znaczy. To tylko taka nazwa, która wpadła mi do głowy, kiedy tata i ja zaczęliśmy rozmawiać o tym, żeby kupić jacht. I jakoś tak już została.

– Brzmi jak nazwa sklepu spożywczego – stwierdził Lance z ustami pełnymi krabowej roladki.

Jennifer żartobliwie kopnęła go w kostkę.

– To Winn-Dixie – powiedziała.

– To i tak głupia nazwa dla łodzi – obstawał przy swoim Lance.

Dopiero kiedy rozmowa zaczęła zbaczać z naszych szkolnych kolegów na nauczycieli, przypomniałam sobie o panu Mortonie. Nie miałam już żadnej nadziei, że uda mi się pogadać z Lance'em na osobności, więc powiedziałam po prostu:

– Aha, Lance. Omal nie zapomniałam. Pan Morton zatrzymał mnie w czasie meczu i powiedział, że chce się z nami zobaczyć w swojej pracowni jutro rano, jeszcze przed lekcjami.

Lance podniósł oczy znad paczki chipsów o smaku barbecue, którą właśnie pochłaniał.

– Mówisz poważnie? – Miał zbolały wyraz twarzy. – A po co?

– Hm. – Uświadomiłam sobie nagle, że wszyscy nas słuchają. – To chyba ma coś wspólnego ze szkicem do naszej pracy półsemestralnej.

– Nie oddałaś go? – zapytał z niepokojem.

– Oczywiście, że oddałam. Tylko że... Sama nie wiem. Chyba zorientował się, że nie miałeś nic wspólnego z jego napisaniem.

– Bo nie był pełen błędów gramatycznych i niedokończonych zdań, jak wszystko inne, co napisze Lance? – zażartował Will.

– Wiesz, że nie jestem dobry w takich rzeczach – powiedział Lance i jęknął. – Aaa, człowieku. To klapa.

– Przykro mi – rzuciłam. – Mortonowi bardzo zależy, żeby pracować nad tym referatem wspólnie z partnerem.

– Ciekawe dlaczego – powiedział Marco tonem sugerującym, że on, z jakiegoś powodu, doskonale to wie.

Ale kiedy spojrzałam w jego stronę, żeby spytać, co ma na myśli – chociaż wcale nie byłam pewna, czy w ogóle chcę to usłyszeć – zobaczyłam, że Marco nie zwraca już na mnie uwagi. Zamiast tego patrzył przez fale na starą i bardzo małą motorówkę, która nadpływała powoli. Po sekundzie czy dwóch rozpoznałam ją. Należała do tej samej grupki, którą widzieliśmy w porcie. Tej z nadmuchaną dętką. Motorówka była tak zatłoczona, że dwóch grubszych chłopaków (chyba jeden z tych w łodzi nie był naprawdę szczupły) siedziało tak mocno wychylonych poza tył motorówki, że woda z kilwateru moczyła im tyłki.

– O ja – powiedział Marco. – Patrzcie na te grube zadki.

Nikt się nie roześmiał. Tylko Will powiedział znużonym tonem, jakby to było coś, co musiał często powtarzać:

– Marco, przestań.

Ale Marco go zignorował.

– Popatrzcie teraz.

I sięgnął do koła sterowego, które Will puścił, żeby zjeść lunch.

– Marco – zaprotestował Will, kiedy ten zaczął obracać jacht. – Daj im spokój.

Marco tylko roześmiał się i skierował „Pride Winn" prosto na maleńką motorówkę.

– Ten obiekt pływający nie wydaje mi się zbyt dzielny, Will – droczył się Marco. – Chcę tylko, żeby tamci zrozumieli swój błąd.

Ale mnie się wydawało, że ma zamiar zrobić znacznie więcej. Zwłaszcza że sternik motorówki, widząc, iż Marco nie ma najmniejszego zamiaru zmienić kursu, nagle szarpnął kierownicą w prawo. Motorówka gwałtownie skręciła... i jeden z chłopaków na rufie – ten najgrubszy – wypadł za burtę.

– Widziałeś to? – zawołał Marco ze śmiechem. – O mój Boże, ależ to było komiczne!

– Naprawdę zabawne, Marco – powiedział Will, patrząc, jak tamten chłopak miota się w spienionej wodzie za rufą.

Cała grupka na motorówce skupiła się przy jednej burcie. Usiłowali wciągnąć grubego chłopaka do środka. Nagle zobaczyliśmy, jak jego nastroszona fryzura wyskakuje nad wodę raz... a potem jeszcze raz... aż wreszcie zupełnie znika pod falami.

– Świetnie – powiedział Will, ściągając jachtowe mokasyny. – Wielkie dzięki, Marco.

A potem, zanim ktokolwiek z nas zdołał coś powiedzieć, Will skoczył z burty „Pride Winn". Jego wysokie, smukłe ciało znikło w ciemnej wodzie.

Rozdział 14

Przez cały rok w jej lustrze, na dnie,
Co świat odbija, wszystko snadnie
Cieniami się na taflę kładnie.
Czasami wzrok na trakt ten padnie,
Co wiedzie aż do Camelot.

To nie była przezroczysta, spokojna woda mojego przydomowego basenu.

To było głębokie, ciemne morze, wzburzone fale. Tam w głębi pewnie kryły się rekiny. I prądy odpływowe. Kiedy głowa Willa znikła pod wodą, wstrzymałam oddech. Zastanawiałam się, czy on kiedykolwiek znów wypłynie.

Najwyraźniej nie byłam jedyną zatroskaną osobą. Lance, obserwując fale w poszukiwaniu jakiegoś śladu Willa, warknął na Marca równie groźnie jak Kawaler poprzedniego wieczoru:

– Jeśli mu się cokolwiek stanie, to zginąłeś, człowieku.

– Jeśli jemu się coś stanie, twoje życie będzie dużo prostsze – powiedział Marco spokojnie. – Prawdaż?

Widziałam, że twarz Lance'a oblała się ciemnym rumieńcem, a potem zauważyłam, że wymienił spojrzenia z Jennifer. Na jej ładnej buzi pojawił się strach. Nie wiedziałam, czy bała się o Willa, czy raczej przeraziło ją to, co powiedział Marc.

Sekundę później ciemna głowa Willa pojawiła się między falami. A potem zaczął płynąć, długimi, mocnymi pociągnięciami ramion, w stronę miejsca, gdzie zniknął Nastroszona Fryzura.

– Obróć nas – przykazała Jennifer Marcowi. Miała ostry głos. Mogłam ją tylko podziwiać, przynajmniej nie brała sobie do serca żadnych bzdur, wygadywanych przez tego faceta.

– Dobra – wycedził Marco przez zaciśnięte zęby i zakręcił kołem sterowym. Zauważył, że gapię się na niego, i wyszczerzył zęby. – Nie wiem, o co tyle krzyku. To tylko banda głupich turystów.

Nie odezwałam się, tylko spiorunowałam go wzrokiem.

– Żart! Żartowałem! Boże, nikt tu nie ma poczucia humoru. Zapamiętaj to sobie, nowa koleżanko.

– Może to tylko twoje żarty nie są specjalnie śmieszne.

Sternik motorówki wyłączył silniki. Zarówno on, jak i reszta pasażerów trzymali się kurczowo burt i przyglądali się wodzie, szukając jakiegoś śladu chłopaka, który wypadł. Will dotarł do miejsca, gdzie Nastroszona Fryzura zniknął pod wodą.

– Gdzie oni są? – Jennifer chwyciła mnie za ramię i ścisnęła z całej siły. Wpatrywała się z napięciem w fale. – Gdzie on jest?

A mnie ogarnęło poczucie winy przez te wszystkie wredne myśli na jej temat. Bo jej niepokój był szczery. Nikt nie jest aż tak dobrym aktorem. Tak, była zakochana w Lansie, ale miałam wrażenie, że w jakiś sposób nadal kocha Willa... Prawdopodobnie zawsze będzie go kochała, niezależnie od tego, co się w końcu między nimi stanie...

Albo co się stało właśnie teraz.

Przyglądałam się jej. Ładną twarz wykrzywił niepokój, a niebieskie oczy wpatrywały się w wodę. Nagle zauważyłam, że się uśmiechnęła i zarumieniła z ulgi.

Spojrzałam na wodę. Will holował Nastroszoną Fryzurę w stronę motorówki. Chłopak pluł morską wodą.

– Dzięki Bogu – powiedziała Jennifer i jakoś tak się na mnie osunęła. Lance wyraźnie zbladł pod swoją głęboką opalenizną. Marco ziewnął i poszedł otworzyć sobie następną puszkę coli.

Jennifer i ja siedziałyśmy w milczeniu, dopóki Will nie wrócił. Lance cały czas komentował to, co się działo przy motorówce:

– Okay, wyciągnęli chłopaka z powrotem na pokład. Strasznie rzyga, ale chyba nic mu nie będzie. Wygląda na to, że Will do nas wraca. Okay, już płynie...

Marco jadł kolejny paluszek krabowy i bawił się gałkami radia, usiłując znaleźć jakąś stację, która nie będzie nadawać staroci. Jennifer spojrzała na niego ze złością.

– Co? – powiedział to takim niewinnym tonem, jakby nie mógł sobie wyobrazić, o co jej w ogóle chodzi.

Kiedy Will wreszcie wrócił na „Pride Winn", twarz miał ściągniętą napięciem.

– Nie będą zawiadamiali żandarmerii portowej – poinformował nas, kiedy Lance pomógł mu wejść na pokład.

Marco wydał jakiś pogardliwy odgłos.

– A po co mieliby to robić? – zapytał. – Wodniacy stwierdziliby, że złamali zasady bezpieczeństwa na wodzie, wypływając tak przeciążoną motorówką. Poza tym to wina tego głupka. Nie powinien był siedzieć...

– Ten głupek o mało się nie utopił – przerwał Will. Oczy mu zaiskrzyły. – Daj spokój, Marco. Co ci odbiło?

– Jej, nie wiem. – Marco uniósł jedną brew. – Może po prostu nie mogłem już znieść napięcia.

– Jakiego napięcia? – Will był rozdrażniony.

– Seksualnego.

Rzucił mroczne spojrzenie w stronę Jennifer, która stała na dziobie. Niosła ręcznik dla Willa, ale teraz zastygła, nieufnie spoglądając na Marca.

– Och, nie mów mi, że tego nie zauważyłeś. – Marco przenosił wzrok z Willa na mnie, a potem na Lance'a i Jennifer. – Mój Boże, miałem już tego powyżej uszu!

– Chyba powinniśmy już wracać – odezwałam się głośno. Wiedziałyśmy, co się zaraz stanie, i chciałam tego za wszelką cenę uniknąć. – Prawda, Jennifer?

Jennifer nie odrywała spojrzenia od Marca. Zupełnie jakby patrzyła na węża, zastanawiając się, czy jest miły – taki jak ten, którego wyciągnęłam z basenu – czy też śmiertelnie groźny i za moment ją sparaliżuje jadem.

– Tak – powiedziała w końcu. – Zgadzam się z Ellie. Powinniśmy wracać.

Lance miał zamiar się odezwać, ale przypadkiem spojrzał na Jennifer. Musiała mu rzucić jakieś ostrzegawcze spojrzenie – chociaż ja go nie zauważyłam – bo nawet nie otworzył ust. Will podszedł do Jennifer po ręcznik. Otulił nim ramiona i powiedział, całkowicie nieświadomy tego, co się naprawdę działo:

– Dziewczyny chcą wracać, więc wracamy. Lance, ściągamy żagle. Chyba powinniśmy wracać na silniku...

– Och, jasne – wybuchnął Marco, kiedy Lance zaczął poluźniać węzeł mocujący żagiel. – Lepiej ściągnij żagiel, Lance. Lepiej nie myśl samodzielnie, Lance.

Lance zasugerował, żeby Marco zrobił coś, co moim zdaniem nie jest chyba anatomicznie możliwe.

Will spojrzał na Marca niebezpiecznie zmrużonymi oczami.

– A tobie o co chodzi? – zapytał tym samym tonem, którego użył wobec tamtego chłopaka, przed klasą pana Mortona. Jego głos był tak zimny, że zdawał się pochodzić z tych samych głębin, z których Will przed chwilą wyciągnął niedoszłego topielca. Trochę mnie to wystraszyło.

– O co mi chodzi? – Marco roześmiał się gorzko. – Czemu nie zapytasz o to samo Lance'a?

– Bo mnie o nic nie chodzi, Campbell – powiedział Lance. – Poza tym to z tobą mamy problem.

Marco znów się zaśmiał.

– Och, jasne. Zapomniałem. Ty lubisz być popychadłem Willa i robić wszystko, co ci każe.

Lance zaczynał się rumienić.

– Ja nie...

– Tak, facet, dokładnie tak – dogryzał mu Marco. I zaraz potem obniżył ton i zaczął parodiować Willa: Ściągnij żagiel, Lance. Zablokuj liniowego, Lance. Trzeba ochraniać rozgrywającego, Lance. – Powrócił do własnego głosu. – Boże, nic dziwnego, że nie mogłeś już dłużej tego znieść. Człowieku, wcale ci się nie dziwię. Naprawdę wcale.

Serce zaczęło mi mocno walić. Spojrzałam na Lance'a. Miałam nadzieję, że nie odpowie...

Ale było już za późno.

– Nie wiem, o czym mówisz – zaczął Lance. Napiął odruchowo mięśnie na karku. – Ale...

– Po prostu go zignoruj, Lance – wtrąciła szybko Jennifer. – On tylko usiłuje namieszać.

– Ja usiłuję namieszać? – Marco rzucił w stronę Jennifer niedowierzające spojrzenie. – Ty uważasz, że to ja tu mieszam? A ty niby co? – spytał ostro. – Will, czemu nie spytasz swojego drogiego przyjaciela Lance'a, gdzie spędził większość twojej wczorajszej imprezy? Co? No już, zapytaj go.

Jennifer zbladła, a Lance się zaczerwienił jeszcze bardziej. Ale udało mu się wykrztusić:

– Sam nie wiesz, co mówisz, Campbell.

– Naprawdę, Marco – powiedziała Jennifer dziwnie piskliwym głosem. – Tylko dlatego, że nie masz żadnych przyjaciół...

– Tak, no cóż, chyba wychodzę na tym lepiej niż nasz poczciwy Will, nieprawdaż? – Uśmiechał się drwiąco. – No bo przy takich przyjaciołach jak wy, komu potrzebni są...

– Marco. – Podeszłam do niego krok bliżej. Serce stało mi w gardle. – Nie rób tego.

– Naprawdę mocno cię wzięło, co, Nenufarowa Panienko? – Marco patrzył na mnie niemal z litością. – Ale ty chyba nadal nie zdajesz sobie sprawy z tego, że zakochałaś się w niewłaściwym... – A potem uniósł brwi. – A może to Lance'a usiłujesz chronić, nie Willa?

Wtedy Lance rzucił się na niego. Chyba nawet nie wiedział, o czym Marco mówi. Ale najwyraźniej nie miało to znaczenia. Rozgrywający był atakowany, a zadaniem Lance'a było go ochraniać. Nawet jeśli – jak w tym przypadku – wina leżała po stronie Lance'a. Skoczył – dziewięćdziesiąt kilo umięśnionego obrońcy – celując w brzuch Marca.

Nie wiem, czym by się to skończyło, gdyby tych dwóch się starło. Zapewne obaj runęliby za burtę prosto w zimne wody zatoki.

Ale do tego nie doszło. Bo w ostatnim momencie Will złapał Lance'a, unieruchamiając mu ramiona za plecami.

A przed Markiem wysunął się szczupły, opalony cień, wołając:

– Przestańcie! Wszyscy przestańcie! Przestańcie już!

Głos Jennifer załamał się ze szlochem.

– To Campbell zaczął. – Lance rzucił te słowa gdzieś w przestrzeń, z trudem łapiąc oddech. Will nadal go trzymał.

– Och, moim zdaniem wszyscy wiemy, kto zaczął to wszystko. – Głos Marca ociekał jadem.

– Czy wyście obaj poszaleli? – zapytał Will.

– Nie słuchaj go! – zawołała gorączkowo Jennifer. – Wszystko, co mówi, jest kłamstwem i zawsze tak było.

– O, to ciekawie brzmi w twoich ustach, Jen – szydził Marco. – Dlaczego po prostu nie powiesz mu, gdzie byłaś wczoraj wieczorem, kiedy szukał cię po całym domu? Dlaczego mu nie powiesz?

Will puścił Lance'a, choć ten wcale nie przestał się wyrywać. Po prostu Will zapomniał, że go trzyma.

– O czym on mówi? – spytał. Spoglądał z osłupieniem to na Jennifer, to na Lance'a. A potem, kiedy żadne z nich nie odpowiedziało, dodał: – Zaraz… Dlaczego macie takie dziwne…

– Bo są w sobie zakochani – powiedział Marco, wyraźnie delektując się chwilą. – Spotykają się za twoimi plecami od miesięcy, a ty tylko…

Rozdział 15

Gdy księżyc świecił nocą błogą,
Kochanków para szła tą drogą,
„Tych cieni oczy znieść nie mogą",
Westchnęła Pani z Shalott.

Marco nie skończył tego zdania. Lance rzucił się na niego. We dwóch runęli na pokład „Pride Winn" z taką siłą, że jacht aż zadrżał. Musiałam złapać się relingu, żeby nie wypaść za burtę.

Zanim odzyskałam równowagę, Lance'owi udało się już pokonać Marca. Najwyraźniej wystarczył jeden cios w twarz. Marco leżał zwinięty w kłębek i jęczał.

Nie mogę powiedzieć, żebym mu współczuła.

Ale Will... Gdybym tylko mogła mu pomóc... Osunął się na jedną z wyściełanych ławeczek przy burcie, jakby nogi się pod nim ugięły. Twarz, mimo opalenizny, miał tak białą, jak łopoczące nad nami żagle.

– To nieprawda – mówiła do niego Jennifer. Trzymała go za oba ramiona i płakała. Naprawdę. I wcale nie robiła tego ładnie, tak jak czirliderki w mojej starej szkole po przegranym meczu. W grę wchodziła spora ilość smarków.

– On kłamie – zapewniała żarliwie. – Nigdy byśmy ci czegoś takiego nie zrobili. Prawda, Lance?

Lance nie odpowiedział od razu. Jennifer rzuciła mu niespokojne spojrzenie.

– Prawda, Lance? – powtórzyła. – Lance?

Nie odpowiedział. Stał na środku pokładu, z pięściami opuszczonymi po bokach. Wpatrywał się w jakiś punkt między stopami Willa. Stałam tam i przyglądałam się, jak Lance powoli uniósł głowę, jakby walczył z jakimś olbrzymim ciężarem. Wreszcie spojrzał Willowi w oczy.

I wtedy wypowiedział słowa, które miały wszystko raz na zawsze zmienić.

– To prawda.

Jennifer zasłoniła usta dłonią. Przeniosła zbolałe spojrzenie z Lance'a na Willa – obaj tkwili zupełnie nieruchomo – a potem znów na Lance'a.

Nikt nic nie mówił. Chyba nawet nikt nie oddychał. Morski wiatr szarpał żaglem nad naszymi głowami. To był jedyny odgłos na „Pride Winn"... Pomijając cichutkie dźwięki radia, które wcześniej nastawił Marco.

Wreszcie Jennifer odjęła dłoń od ust i powiedziała głosem, którego nigdy nie zapomnę, tyle było w nim żalu i smutku:

– Will. Will, tak mi przykro.

Nawet na nią nie spojrzał. Nadal patrzył na Lance'a.

– Nic na to nie mogliśmy poradzić. – Lance wzruszył nagimi ramionami. – Próbowaliśmy. Naprawdę, Will.

Po twarzy Jennifer niepowstrzymanie płynęły łzy.

– Próbowaliśmy. Naprawdę. Mieliśmy zamiar ci powiedzieć. Ale z tym wszystkim... No wiesz, z twoim tatą i z... No cóż, zawsze się wydawało, że to zły moment...

– A czy kiedykolwiek jest na to dobry moment? – spytał Marco z miejsca, gdzie leżał. Zakrywał twarz dłońmi i mówił przez nos. –.Na to, żeby powiedzieć koledze, że się go kantuje z jego dziewczyną?

– Zamknij się, Marco – powiedziałam.

Marco odsunął dłonie od twarzy i spojrzał na mnie z krzywym uśmiechem. Jeden kącik ust już mu puchł.

Nie byłam zainteresowana tym, co miał do powiedzenia. Przyglądałam się rozgrywającej przede mną scenie.

– Will. – Lance nadal nie ruszał się z miejsca, ani na moment nie przestając patrzeć w twarz przyjaciela. – Powiedz coś, człowieku. Cokolwiek. Albo walnij mnie. Wszystko jedno. Zasłużyłem na to. Po prostu... zrób coś.

Will opuścił wzrok. Spojrzał na swoje gołe stopy. Nie zdążył jeszcze włożyć mokasynów, które zrzucił, żeby skoczyć za burtę i uratować życie Nastroszonej Fryzury.

Kiedy przemówił, głos miał pozbawiony jakichkolwiek emocji. I nadal tak zimny, jak morze.

– Wracajmy.

Podniósł się, żeby zdjąć główny żagiel.

Żegluga z powrotem była okropna. Wszyscy milczeli. Pomijając Marca, który wciąż skarżył się na swoją rozbitą wargę, aż wreszcie wyciągnęłam z lodówki jeden z wkładów chłodzących i dałam mu go, żeby się wreszcie zamknął.

Jak się okazuje, kiedy wracasz do portu po rejsie, czeka na ciebie tyle samo roboty, ile kiedy chcesz wypłynąć. Tak więc zwijaliśmy, obwiązywaliśmy, sprzątaliśmy i chowaliśmy różne rzeczy, wszystko w całkowitym milczeniu – pomijając chwile, kiedy Will prosił jedno z nas o zrobienie czegoś... Tylko Marco nieprzerwanie jęczał na temat swojej wargi i tego, że wszyscy zawsze zabijają posłańca, który przynosi złe wiadomości. Wreszcie, kiedy „Pride Winn" była bezpiecznie zacumowana w porcie, Will powiedział:

– Płyńmy na brzeg.

Zeszliśmy więc do pontonu i popłynęliśmy na brzeg. Byliśmy chyba najpoważniejszą grupą, która kiedykolwiek płynęła wzdłuż Alei Ego. W miarę jak mijało popołudnie, coraz więcej osób gromadziło się w kawiarnianych ogródkach otaczających port. Ludzie siedzieli tam w swoich białych spodniach i mokasynach, trzymali w rękach puszki piwa i napojów dietetycznych i nie mieli pojęcia, że w tym pontonie – tym, który ich właśnie w tej chwili mijał i którego tak nam zazdrościli – płyną trzy złamane serca.

Nie liczyłam własnego, chociaż wydawało mi się, że boli mnie coraz bardziej. Zwłaszcza kiedy spoglądałam na ściągniętą twarz Willa. Jak to ujął Marco, kiedy obrócił się, żeby mi pomóc wysiąść z pontonu na keję:

– Nie miej takiej załamanej miny, Pani Nenufarów. To nie ma nic wspólnego z tobą ani ze mną.

– I właśnie dlatego – powiedziałam mu – nie powinieneś był się w to wtrącać.

– Hej, miałaś swoją szansę na Lancelota. To nie moja wina, że ją schrzaniłaś.

Co mogłam na to powiedzieć?

Za nami Will cumował ponton. Jennifer wyciągnęła rękę i próbowała dotknąć jego ramienia.

– Will. – Jej głos, przynajmniej moim zdaniem, mógłby zmiękczyć najtwardsze serce.

Ale Will odwrócił się i ruszył w stronę swojego samochodu.

On i Marco najwyraźniej przyjechali tu razem, bo ten drugi obdarzył mnie teraz dworskim ukłonem i powiedział:

– Pani Elaine, to był dla mnie zaszczyt. – I ruszył za oddalającą się sylwetką Willa.

W ten sposób zostałam sam na sam z Jennifer i Lance'em, którzy chyba nie bardzo chcieli na mnie spojrzeć... ani na siebie nawzajem.

– Hm – mruknęłam, bo wyglądało na to, że żadne z nich się nie odezwie. – Ja już się zbieram. Na razie.

Zignorowali mnie. Zostawiłam ich tam razem, stojących przy pomniku Aleksa Haleya. I chyba nie przesadzę, kiedy powiem, że wyglądało to tak, jakby im obojgu nagle usunął się grunt pod nogami.

Zadzwoniłam do rodziców z budki na rogu i poprosiłam, żeby po mnie podjechali. Byli zdziwieni, że tak szybko wróciłam... Wypłynęliśmy zaledwie dwie godziny temu, a ja ich uprzedzałam, że mogę wrócić dopiero po obiedzie.

Kiedy wsiadałam do samochodu, zapytali mnie, co się stało. Pokręciłam głową. Nie chciałam o tym rozmawiać. Nie mogłam.

Nie naciskali... Nawet kiedy pięć minut po powrocie do domu wyszłam z sypialni ubrana w bikini z zamiarem popływania na materacu.

Muszę im to przyznać, że nie powiedzieli niczego w stylu: „Tylko nie znów to samo" albo „Myśleliśmy, że już ci to przeszło".

Zamiast tego mama spytała tylko:

– Może być pizza na obiad, Ellie?

A ja pokiwałam głową.

A potem wyszłam z domu.

Słońce zniknęło za grubą warstwą szarych chmur, ale nie przeszkadzało mi to. Wdrapałam się na mój materac i ułożyłam na nim. Leżałam tam, patrząc w górę na liście nad moją głową.

Rzecz w tym, że tego typu rzeczy mnie się nie zdarzają. Chociaż trzeba powiedzieć jasno, że nic, co się zdarzyło dzisiejszego dnia, nie miało tak naprawdę związku ze mną. Przynajmniej co do tego Marco miał rację.

Ale tam byłam... widziałam, jak to się wszystko potoczyło. I w to nie mogłam uwierzyć.

Wiedziałam, dlaczego Marco tak się zachował. I w sumie nie mogłam powiedzieć, że mam mu to za złe.

Ale żeby to zrobić w taki sposób. Wciągnąć w to Lance'a, Jennifer i mnie. To było naprawdę niepotrzebne.

Marco pewnie mógłby to samo powiedzieć o śmierci swojego ojca.

Miałam nadzieję, że Will jakoś się z tym upora. Bo co mogłam zrobić, żeby mu pomóc? Chyba niewiele. No, mogłam być jego przyjaciółką, czekać gdzieś w pobliżu, gdyby mnie potrzebował. Poza tym...

Mogłam pojechać do jaru. Na pewno ukrył się tam po tym, co się stało. Na pewno potrzebował jakiejś pomocy.

Tak, właśnie tak. Powinnam pojechać do arboretum. Teraz. Zaraz...

Ale kiedy ta myśl przyszła mi do głowy i otworzyłam oczy, zobaczyłam, że Will siedzi na Skale Pająka i patrzy na mnie.

Rozdział 16

Na jego tarczy rycerz klęka
Przed damą, z krwawym krzyżem w rękach.
I wierność serca jej przysięga.
Lancelot polem jedzie stępa,
Mijając senne Shalott.

Tym razem nie wrzasnęłam. Nie mogę nawet powiedzieć, że się bardzo zdziwiłam na jego widok. Wydawało mi się to niemal naturalne, że on tam jest, chociaż nie umiałabym wytłumaczyć dlaczego.

Zmienił mokre rzeczy, które miał na sobie na jachcie. Teraz był w dżinsach i innym T-shirtcie.

Ale minę miał taką samą jak wtedy, kiedy widziałam go po raz ostatni... Jego twarz wydawała się kompletnie pozbawiona uczuć. Ukrył oczy za okularami słonecznymi, chociaż słońce skryło się za chmurami.

Ale podejrzewałam, że nawet jeśli mogłabym spojrzeć mu w oczy, byłyby tak samo nieodgadnione jak jego twarz. Nawet jego głos, kiedy wreszcie się odezwał, widząc, że otworzyłam oczy, był zupełnie bezbarwny.

– Wiedziałaś?

Żadnego „cześć". Żadnego „Jak się masz, Elle?"

Nie żebym spodziewała się normalnego powitania. W końcu o wszystkim wiedziałam i nie puściłam pary z ust.

Nie miałam zamiaru go oszukiwać, już dość go naokłamywano.

– Tak – powiedziałam po prostu.

Żadnej reakcji. A przynajmniej takiej, którą mogłabym zobaczyć.

– To dlatego tak dziwnie się zachowywałaś wczoraj wieczorem? Na imprezie, przed tym pokojem gościnnym. Wiedziałaś, że są w środku?

– Tak. – Znowu przytaknęłam, ale czułam, jakby to słowo wydzierano ze mnie siłą.

Ale co innego mogłam powiedzieć? Taka była prawda.

Uniosłam się na łokciach. Spodziewałam się wymówek... Szykowałam się na nie, bo na nic innego nie zasługiwałam. W końcu Will i ja byliśmy przyjaciółmi, a przyjaciele nie okłamują się nawzajem ani nie starają się ukryć przed tobą prawdy, że twoja dziewczyna zdradza cię z najlepszym kumplem.

Byłam w szoku, bo Will nie zrobił mi ani jednej wymówki. Chociaż spodziewałam się wyrzutów, nie usłyszałam żadnego: „Jak mogłaś nic mi nie powiedzieć?" ani „Co z ciebie za człowiek?"

Powinnam była wiedzieć, że tego nie zrobi. Will nie był taki jak inni ludzie. Nie był podobny do nikogo, kogo kiedykolwiek poznałam.

Zamiast tego stwierdził takim samym bezbarwnym tonem:

– To dziwne. Mam wrażenie, że w jakiś sposób już o tym wiedziałem.

Zamrugałam powiekami. Nie to spodziewałam się usłyszeć.

– Czekaj – powiedziałam, zaskoczona. – Co? Naprawdę?

– Naprawdę. Kiedy to się wszystko działo, miałem takie jakieś wrażenie... „Och, tak. Jasne. Oczywiście". Mówiąc prawdę, trochę mi... ulżyło.

Zdjął okulary słoneczne i popatrzył na mnie.

Wcale nie wyglądał na zranionego czy załamanego ani nawet smutnego. Miał tylko taki... zamyślony wyraz twarzy.

– Pokrętnie to brzmi, prawda? – zapytał. – To, że poczułem ulgę. Moja dziewczyna i mój najlepszy przyjaciel kręcą ze sobą za moimi plecami. Kto czułby ulgę, dowiadując się czegoś takiego?

Nie wiedziałam, co odpowiedzieć. Ale dokładnie rozumiałam, o czym mówi.

Nie wiedziałam tylko... no cóż, jak to się stało, że to wszystko rozumiem.

– Może... – zaczęłam mówić powoli, z namysłem. – Może poczułeś to, bo gdzieś w głębi ducha zdawałeś sobie sprawę, że są dla siebie stworzeni. I że to jest... właściwe? Lance i Jen. Nie zrozum mnie źle. Ona cię naprawdę kocha, Will. Lance też. Bardziej niż kogokolwiek. To widać. Ale to też może być powód, dla którego... są sobie przeznaczeni.

Spojrzałam na niego, żeby zobaczyć, czy się z tym zgadza albo czy w ogóle to rozumie, bo sama nie byłam pewna, czy rozumiem.

– Nie żebyście z Jen nie stanowili dobranej pary – dodałam, bo on nadal nic nie mówił. Pewnie plotłam głupstwa, ale co innego miałam zrobić? Przyszedł do mnie. Ze wszystkich ludzi, których znał na świecie, przyszedł do mnie i musiałam coś powiedzieć. – Jen jest bardzo miła i tak dalej. Ale...

– Nigdy nie umiałem z nią rozmawiać – przerwał mi Will. – Nie o sprawach, które się liczyły. Zupełnie tak, jakby nie chciała o tym słyszeć. Plotki i ciuchy. Nie mam pretensji, ale kiedy chciałem porozmawiać o tym, co czułem, o rzeczach takich... No o tym, o czym rozmawialiśmy ty i ja, o moim tacie i o lasach, i o wdowim balkoniku... O czymś poza futbolem, szkołą i centrum handlowym, ona po prostu nie rozumiała.

Nie dodał: „tak jak ty rozumiesz, Elle".

Ale mnie to nie przeszkadzało. Przyszedł do mnie, prawda? Siedział tu ze mną. W moim ogrodzie za domem. Obok mojego basenu. Na Skale Pająka.

No dobra, może znalazł się tu dlatego, że niemal mnie nie zna, a czasami łatwiej jest rozmawiać o różnych rzeczach z obcymi niż ze znajomymi ludźmi.

I owszem, pewnie traktuje mnie wyłącznie jako przyjaciółkę. Taką, która go rozśmiesza. I na pewno nie myśli o mnie w taki sposób, w jaki ja myślę o nim – jak o mężczyźnie, z którym kiedyś chciałabym spędzić resztę życia.

Ale to nie szkodzi. Wszystko było w porządku. Bo z Willem byłam gotowa zadowolić się tym, co dostanę. A jeśli do zaoferowania miał tylko przyjaźń, no cóż, to było więcej niż wystarczająco.

Osłupiałam, kiedy zadał mi kolejne pytanie.

– Co dzisiaj macie na obiad? – Powiedział to głosem, w którym nie było ani jednej nutki żalu, uwierzylibyście?

– Sama nie wiem. Mama chyba zamierza zamówić pizzę.

– Myślisz, że rodzice mieliby coś przeciwko temu, żebym cię gdzieś zabrał na miasto? Znam takie miejsce, gdzie podają podły dip z krabów.

– Hm. Nie, chyba nie będą mieli pretensji.

Teraz i tak niewiele mnie to obchodzi.

Nie mieli pretensji. I w ten sposób znów jadłam obiad z A. Williamem Wagnerem. Rozśmieszyłam go nad półmiskiem parującego gorącego dipu krabowego dla dwojga, który zamówiliśmy w Riordan's, restauracji w centrum. Wykonałam wtedy coś, co wydało mi się idealną imitacją pani Schuler, trenerki lekkoatletyki. I o mało się przeze mnie nie zakrztusił lodami Moose Tracks w Storm Brothers, kiedy mu opowiadałam historię o tym, jak wsadziłam sobie ostrą papryczkę chili do nosa, kiedy miałam cztery lata. Wszystko po to, żeby tylko znów usłyszeć jego śmiech. A potem wspomniałam mu o tym, jak zdecydowałam się sama ostrzyc sobie włosy i skończyło się na tym, że wyglądałam jak Russel Crowe w *Gladiatorze*.

Miałam jeszcze lekcje do zrobienia, a Will musiał zajrzeć do fizyki, wróciliśmy więc do mnie do domu. Usiedliśmy przy stole w jadalni, żeby razem się pouczyć, bo nie wyglądało na to, żeby Will miał ochotę wracać do siebie.

Nawet mu się nie dziwiłam. Do czego miał wracać? Do ojca, który chciał wysłać go do znienawidzonej szkoły? A może do przybranego brata, który cieszył się z jego bólu.

W jakimś momencie mój tata wszedł do jadalni i zapytał, czy nie mogłabym wyciągnąć mu z kciuka zszywki, bo mama poszła pod prysznic. To była taka miniaturowa zszywka, jakich zwykle używają małe dzieciaki. Tylko takie trzymamy w domu, ponieważ wszyscy tu mają skłonność do wypadków. Niewiele było krwi przy tej operacji. Wyciągnęłam zszywkę, a tata znów sobie poszedł. Chciałam wrócić do swoich lekcji, ale zauważyłam, że Will przestał pisać. Podniosłam oczy i złapałam go na tym, że mi się przyglądał.

– Co? – zapytałam i podniosłam dłoń do nosa. – Mam coś na twarzy?

– Nie – odparł z uśmiechem. – Tylko że... Masz wspaniały kontakt z rodzicami. Nigdy z nikim takiego nie miałem, a co dopiero z moim tatą.

– Bo twój tata prawdopodobnie potrafi zszyć papiery, nie wsadzając kciuka do zszywacza – zauważyłam sucho.

– Nie – powiedział Will. – To nie to. To sposób, w jaki ze sobą rozmawiacie. Jakbyście, sam nie wiem, naprawdę przejmowali się tym, co się stanie tej drugiej osobie.

– Ależ twojego tatę obchodzi, co się z tobą dzieje – zapewniłam go, w duchu czując, że mam ochotę złapać admirała Wagnera i parę razy nim potrząsnąć. – Może tylko w nieco inny sposób niż ten, którego oczekujesz. Przecież dokładnie to kryje się za pragnieniem, żebyś wstąpił do wojska. Dba o ciebie i uważa, że to by było dla ciebie najlepsze.

– Wiedziałby, że to najgorszy wybór – upierał się Will – gdyby zadał sobie ten trud, żeby mnie choć trochę poznać. Gdyby mnie w ogóle znał, gdyby kiedykolwiek wpadł na pomysł, żeby przez chwilę ze mną porozmawiać przed wyjściem na jedno ze swoich miliona spotkań. Wiedziałby, że uważam, że... Dla mnie działanie militarne jest absolutnie ostatnim sposobem, w jaki jakieś państwo powinno rozwiązywać swoje problemy.

Ogarnął mnie jeszcze większy podziw dla Willa. Działania militarne? Rozwiązywanie problemów? Ten chłopak mówił o rzeczach, o których nigdy przedtem nie słyszałam od nikogo w moim wieku. Geoff i jego przyjaciele zawsze rozmawiali niemal wyłącznie o Xboksie i tym, która dziewczyna ze szkoły w tej chwili nosiła najkrótszą spódniczkę.

– Czy kiedykolwiek powiedziałeś o tym tacie? – spytałam. – Bo być może jego odpowiedź by cię zaskoczyła, wiesz?

Will tylko pokręcił głową.

– Nie znasz go.

– A co z twoją macochą? – spytałam. – Układa ci się z nią?

– Z Jean? – Will wzruszył ramionami. – Tak.

– To dlaczego jej o tym nie powiesz – zasugerowałam. – Jeśli uda ci się ją przekonać, mogłaby jakoś wpłynąć na twojego ojca. Nawet jeśli nie słucha ciebie, to prawdopodobnie wysłucha własnej żony, nie?

Oczy Willa wydawały się bardziej błękitne niż zwykle, kiedy spojrzał na mnie.

– To dobry pomysł – powiedział. I niech się wam nie wydaje, że się nie zarumieniłam, słysząc tę pochwałę, chociaż pochyliłam głowę z nadzieją, że włosy zakryją mi policzki. – Nie wiem, dlaczego sam na to nigdy nie wpadłem.

– Nie przywykłeś do posiadania dwojga rodziców – tłumaczyłam. – Kiedy wyrasta się, mając i mamę, i tatę, człowiek uczy się jak między nimi lawirować. To coś w rodzaju sztuki.

– Nie wyobrażam sobie – stwierdził Will z szerokim uśmiechem – żeby twój tata kiedykolwiek ci czegoś odmówił.

– Bo w zasadzie nie odmawia – zgodziłam się. – Ale moja mama... Ona jest o wiele twardsza.

A potem coś ciepłego i ciężkiego legło na mojej dłoni. Kiedy podniosłam oczy, ze zdziwieniem zauważyłam, że to ręka Willa.

– Tak jak ty.

– Ja nie jestem twarda – zaprotestowałam. Gdyby wiedział, jak od jego dotyku wali mi puls, zdałby sobie sprawę z tego, że jestem totalnym mięczakiem.

Will nie zwalniał uścisku.

– Nie ma w tym nic złego – powiedział. – W sumie to jedna z tych rzeczy, które lubię w tobie najbardziej. Tyle że nie chciałbym ci nastąpić na odcisk.

Jakbyś kiedykolwiek mógł, chciałam powiedzieć. Tylko że nie mogłam, bo byłam za bardzo zaskoczona. Nie tylko tym, co powiedział o tym, że mnie lubi – powiedział to! – ale tym, co poczułam w chwili, kiedy jego palce dotknęły moich. To było dokładne przeciwieństwo tego chłodu, który poczułam pod dotykiem Marca – taki nagły, gorący i biały elektryczny prąd, który przeleciał w górę i w dół po moim ramieniu...

Nie wiedziałam, co łączy nas dwoje, jeśli w ogóle cokolwiek to było. Nie miałam pojęcia, dlaczego Will uważał, że mnie zna, skoro nigdy mnie wcześniej nie spotkał, ani dlaczego miał wrażenie, że może mi opowiedzieć o rzeczach, o których nie mógł rozmawiać z nikim innym... A przede wszystkim, dlaczego pokochałam go tak gorąco, że byłam gotowa chronić go przed całym światem i przed nim samym.

Nie miałam zamiaru zaprzeczać swoim uczuciom. Nie teraz, kiedy był wolny. To prawda, nie jestem czirliderką ani filigranową blondynką. I jeśli ludzie się za mną oglądają, kiedy wchodzę do pokoju, to na ogół dlatego, że jestem tam najwyższą dziewczyną.

Ale ze wszystkich znanych sobie osób Will przyszedł właśnie do mnie. Niezależnie od tego, czy poczuł ten elektryczny wstrząs, kiedy dotknął mojego ramienia, czy nie, czy myślał o mnie wyłącznie jak o przyjaciółce, czy może o kimś więcej – nic nigdy nie zmieni faktu, że to ja byłam osobą, do której przyszedł, kiedy najbardziej kogoś potrzebował.

Puścił moją rękę. Wziął ołówek i ułożył go w palcach, jakby to było cygaro. A potem bardzo, bardzo kiepsko naśladując Humphreya Bogarta z *Casablanki*, powiedział:

– Elle, moim zdaniem, to jest początek pięknej sprawy.

– Przyjaźni – poprawiłam go, usiłując nie okazać mu, jak głęboko ucieszyły mnie te słowa. – Tam jest...

– Daj spokój. – Ciągle kiepsko przedrzeźniał Bogarta. – Wracamy do roboty. – I postukał o mój zeszyt ołówkiem-cygarem.

Z uśmiechem pochyliłam się nad swoimi logarytmami. Chyba jeszcze nigdy w życiu nie byłam taka szczęśliwa.

Wtedy jeszcze nie wiedziałam, że to, co powiedział o początku czegoś pięknego, było nieprawdą.

Bo to był sam środek czegoś, co działo się już od bardzo długiego czasu... Czegoś zdecydowanie niepięknego, co było tak brzydkie, jak się tylko da.

I czegoś, co miało się potoczyć jak lawina śnieżna, wymykając się spod czyjejkolwiek kontroli.

Rozdział 17

Zerwana nić jak cienki włos,
Zwierciadło pęka w odłamków stos,
„Klątwa nade mną", woła w głos
Pani na Shalott.

Następnego dnia rano pojawiłam się jako pierwsza w pracowni pana Mortona. Nie było nawet nauczyciela. Usiadłam w pierwszym rzędzie i spoglądałam na ścienny zegar. Była siódma czterdzieści. Za dwadzieścia minut miała się zacząć pierwsza lekcja.

Gdzie się podział Lance?

Kiedy pan Morton wparował do środka o siódmej czterdzieści pięć, Lance'a nadal nie było. Nauczyciel, elegancki w swojej muszce i marynarce w jodełkę – zbyt ciepłej jak na Annapolis o tej porze roku – odstawił kubek parującej kawy, odłożył gazetę i teczkę, i odsunął sobie krzesło od biurka.

Usiadł, nie otworzył gazety ani nie ruszył kawy. Zamiast tego, jak ja, zaczął patrzeć na zegar.

Chociaż wątpię, żeby pan Morton bawił się równie dobrze, jak ja. Mnie czas mijał dość przyjemnie na wspominaniu poprzedniego wieczoru... Tego, jak Will, skończywszy swoje lekcje, pochylił się do mnie, przysunął sobie mój zeszyt i zaczął mi pomagać z logarytmami. Tego, jak się uśmiechnął, kiedy mój tata wreszcie zszedł na dół i powiedział:

– Dziecko, jedenasta już. Wracaj do domu, dobra?

– Zobaczymy się jutro, proszę pana – odpowiedział na to Will.

Co mogło oznaczać tylko to, że znów zamierza do nas przyjść...

Siódma pięćdziesiąt.

– Powiedziałaś mu, prawda? – zapytał pan Morton. – Reynoldsowi?

– Oczywiście, że tak. Przyjdzie tu.

Ale zaczynałam myśleć, że może się jednak nie pojawi. Może zapomniał. Tyle się wydarzyło od poprzedniego dnia... Nie tylko u mnie, u Lance'a też. Być może zyskał dziewczynę, ale też stracił najlepszego przyjaciela... A przynajmniej tak mu się mogło wydawać, bo zakładałam, że Will nie zadzwonił do niego, żeby powiedzieć: „Stary, nie mam pretensji".

A przynajmniej nie zrobił tego wczoraj do jedenastej wieczorem.

Nie żeby Will nie zamierzał tego zrobić. Wspominał o tym wczoraj wieczorem przy logarytmach. Uważał, że nie powinien zachowywać urazy wobec Lance'a i Jennifer. W końcu, kiedy usłyszał, że między nimi coś jest, odczuł wyłącznie ulgę. Stwierdziłam, że to będzie srogie rozczarowanie dla szkolnych plotkarzy – a zwłaszcza dla Liz, ale nie wspomniałam jej z imienia – którzy będą oczekiwali jakichś dramatycznych afrontów w stołówce.

Will tylko się roześmiał i powiedział, że nigdy by się nie ośmielił pozbawiać uczniów liceum Avalon porcji należnej im rozrywki, więc może odczeka dzień czy dwa, zanim publicznie wybaczy nowej parze.

Ale Lance oczywiście tego nie wiedział. Wiedziałam, że zależy mu na Willu i że poczucie winy z powodu tego, co mu zrobił, musi go zżerać od środka.

Jeśli wziąć pod uwagę to, co teraz musiało się dziać w głowie Lance'a, mało prawdopodobne, żeby pamiętał o spotkaniu z nauczycielem.

– Może powinnam zadzwonić, żeby mu przypomnieć – powiedziałam do pana Mortona przepraszającym tonem. – On chyba, hm... ma teraz sporo na głowie.

– Za chwilę będzie miał kolejny zły stopień z moich zajęć, do kompletu z tym, który dostał w ubiegłym roku – odezwał się pan Morton surowo.

– Och, proszę tego nie robić! – zawołałam, bo nie zdołałam się powstrzymać. – To dla niego naprawdę trudne chwile.

– Nie mam ochoty słuchać o zgryzotach najlepszego obrońcy liceum Avalon – powiedział pan Morton zmęczonym głosem. – Jestem pewien, że bardzo mu przykro z powodu tego, co wydarzyło się Wagnerowi w czasie sobotniego meczu, ale to nie jest moja sprawa.

– Ja nie mówię o tym – zaprotestowałam. – To znaczy, doszło do pewnej awantury między jego najlepszym przyjacielem a jego dziewczyną i...

– Moim zdaniem awantury między przyjaciółmi Reynoldsa nie dotyczą jego samego. – Pan Morton uniósł jedną brew. – I z pewnością nie usprawiedliwiają jego nieobecności.

– No właśnie... – Czułam się głupio, opowiadając nauczycielowi o sprawie, która go w ogóle nie dotyczyła. Z drugiej strony, wiedziałam, że Lance rzeczywiście miał prawo zapomnieć o naszym spotkaniu. – To on wywołał tę awanturę. To znaczy, Lance. To znaczy, to nie jest w sumie jego wina... No cóż, w pewnym sensie jest. Ale moim zdaniem nic nie mógł na to poradzić, tak samo jak Jen. – Zauważyłam, że pan Morton patrzy się na mnie z pewnym niedowierzaniem i zdałam sobie sprawę, że bredzę. – Proszę posłuchać, wszystko niesamowicie się skomplikowało i on pewnie najzwyczajniej zapomniał. Czy nie moglibyśmy przełożyć spotkania na jutro? Przysięgam, że...

Przerwałam, bo twarz pana Mortona nagle poszarzała. Kolorem niewiele różniła się od jego siwej brody.

Wyglądał, jakby zrobiło mu się słabo.

– Panie profesorze? – Wstałam zza stolika nieco zaniepokojona. – Nic panu nie jest? Chce pan, żebym przyniosła wody?

Pan Morton podniósł się z krzesła. Stał teraz, ściskając dłońmi krawędź biurka, zupełnie jakby to była jedyna rzecz, która pozwalała mu stać prosto. Coś do siebie mruczał. Podeszłam do niego i nachyliłam się, żeby usłyszeć, co mówi. Myślałam, że może szepcze, żebym wezwała pogotowie, ale z zaskoczeniem usłyszałam słowa:

– Za późno. Zaczęło się... tak wcześnie. Nie miałem pojęcia. Spóźniliśmy się. Spóźniliśmy się tak bardzo.

Zerknęłam na zegar.

– Wcale się nie spóźniliśmy, panie profesorze – powiedziałam skonsternowana. – Jest jeszcze pięć minut do dzwonka...

A on podniósł wzrok.

Cofnęłam się o krok. Bo jeszcze nigdy w niczyich oczach nie widziałam takiej rozpaczy i strachu, jak teraz w oczach pana Mortona.

– To się już stało, tak? – wykrztusił z trudem. – Ona jest z nim? Z Reynoldsem?

Przełknęłam ślinę. Spodziewałam się, że pojawią się jakieś plotki w związku z tym, co się wydarzyło między Willem, Jennifer i Lance'em. Kiedy wsiadałam do autobusu dziś rano, słyszałam, jak parę osób szeptało o zerwaniu najpopularniejszej pary z liceum Avalon, chociaż chyba nikt – na ile można było coś wnioskować z bardzo bezpośrednich pytań, jakimi zarzuciła mnie Liz – nie wiedział, dlaczego zerwali.

Ale żeby jakiś nauczyciel aż tak bardzo przejmował się życiem uczuciowym swoich uczniów? Wydawało mi się to nieco dziwne. Pan Morton miał minę przyszłego samobójcy. Jego jasnoszare oczy, spoglądające spod nieco nastroszonych brwi, miały przybity wyraz. Jakby zobaczył coś, co było zbyt bolesne, aby to dłużej znosić.

– Chodzi panu o Jennifer Gold? – zapytałam. – Bo ona i Lance są... są teraz parą. – A potem, ponieważ mówiłam Willowi, że właśnie to powinien powtarzać wszystkim, jeśli chce dowieść, że naprawdę mu ulżyło, kiedy dowiedział się, że Jen i Lance są razem, dodałam: – A Will bardzo dobrze im życzy.

Ale to nie odniosło oczekiwanego skutku. Pan Morton zbladł jeszcze bardziej.

– A więc on o nich wie?

Za żadne skarby nie mogłam się zorientować, co się tutaj dzieje. Od kiedy to nauczyciele tak się przejmują tym, że najpopularniejsza szkolna para ze sobą zerwała? Chociaż to był pan Morton, ulubiony nauczyciel wszystkich uczniów – przynajmniej według niektórych osób. Tych, które nie miały ochoty go zabić, tak jak Marco.

– Tak. Will dowiedział się o tym wczoraj. Ale... – dodałam pospiesznie, bo twarz pana Mortona wykrzywiła się w jakimś grymasie – wcale się tym nie przejął. Naprawdę.

Pan Morton powoli osunął się na krzesło przy biurku. Zgarbił się, a na twarzy rysował mu się wyraz przygnębienia i braku nadziei.

– Jesteśmy potępieni – szepnął w stronę ściany.

Wtedy pomyślałam sobie, że to... trochę to nienormalne. Nawet jak na pana Mortona.

Nie wiedziałam, co robić. Wyglądało na to, że na moich oczach pana Mortona dopadło jakieś załamanie nerwowe.

Ale dlaczego? Aż tak bardzo przejmował się tym, z kim spotyka się Jennifer Gold?

A potem przypomniałam sobie, gdzie po raz ostatni widziałam pana Mortona.

I nagle to wszystko zaczęło się układać w sensowną całość.

– Naprawdę, panie profesorze – powiedziałam. – Myślę, że reaguje pan przesadnie. Lance i Will są dobrymi przyjaciółmi. Ich przyjaźń po tym wszystkim tylko się umocni.

I wie pan, naprawdę nie powinien pan aż tak bardzo tym się przejmować.

Pan Morton uniósł głowę, żeby na mnie spojrzeć. Widziałam, że porusza wargami, ale nie wydobywał się z nich żaden dźwięk. Potem, powoli, zaczął odzyskiwać głos.

– Próbowałem – mówił świszczącym szeptem, z twarzą tak białą, jak ślady kredy na tablicy za jego plecami. – Nie mogą powiedzieć, że nie próbowałem. Zrobiłem, co w mojej mocy, żeby was dwoje ze sobą zbliżyć. Ale po prostu spóźniliśmy się... Spóźniliśmy się...

Tak ponurej miny jeszcze nigdy u nikogo nie widziałam.

– Oni zwyciężyli – ciągnął. – Znów wygrali.

– Panie profesorze... – Starałam się mówić łagodnym tonem, żeby go uspokoić. – Naprawdę uważam, że przywiązuje pan do tego zbyt duże znaczenie. Avalon ma szanse trafić do okręgowych finałów futbolu. Will i Lance jakoś to sobie wyjaśnią. Zobaczy pan.

Uśmiechnęłam się do niego pogodnie...

Ale mój uśmiech zbladł, kiedy spojrzał na mnie chłodno.

– Bo pan mówi o futbolu, prawda, panie profesorze?

– O futbolu? – Pan Morton miał taką minę, jakby się czymś dławił. –Nie, tu nie chodzi o futbol, ty durna dziewczyno, ale o nigdy niekończącą się walkę dobra ze złem. O jedynego człowieka, który może uratować tę planetę przed nieuchronnym samozniszczeniem i o siły Ciemności, które chcą go przed tym powstrzymać.

Nie miałam zielonego pojęcia, jak mam na to zareagować. Pan Morton nachylił się nade mną jeszcze bardziej. Zdawał się paraliżować mnie spojrzeniem szarych oczu. Nie mogłam się ruszyć. Nie mogłam mówić. Nie mogłam nawet złapać oddechu.

– Chodzi o to, że znów zostaniemy zepchnięci w Wiek Ciemności – ciągnął pan Morton tym samym zgrzytliwym głosem. – I tym razem nie będziemy mieli żadnego Światła, które mogłoby nas z niego wyprowadzić. Będziemy w nim tkwić, dopóki następny się nie urodzi, nie dorośnie i nie awansuje w świecie tak, że zdoła zająć jego miejsce... To znaczy, o ile następnym razem uda nam się do niego dotrzeć przed nimi. Tu chodzi o klęskę, panno Harrison. Moją klęskę. Przeze mnie wszyscy na tej planecie będą cierpieć do końca swoich dni. O to tutaj chodzi, panno Harrison. Nie o futbol.

Zamrugałam powiekami.

– Aha – powiedziałam.

Co innego mogłam powiedzieć na to wszystko?

Pan Morton znów się zgarbił na krześle i przesunął dłońmi po twarzy.

– Idź już, Harrison – powiedział przez palce. – Proszę. Po prostu już idź.

Wzięłam plecak. Nie wiedziałam, co zrobić. Najwyraźniej nie chciał mnie tutaj. Przez cokolwiek przechodził – o czymkolwiek mówił – nie miało to nic wspólnego ze mną i prawdopodobnie z nikim innym... Z nikim poza panem Mortonem i tym czymś, co widocznie trzymał w butelce w najniższej szufladzie biurka...

Bo ten biedny facet był wyraźnie stuknięty. Nikt przy zdrowych zmysłach nie mówi o siłach ciemności, które przejmują władzę nad naszą planetą. Nikt.

Tylko że...

No cóż, aż do tej pory wydawał się taki normalny.

Ale kiedy byłam już przy drzwiach, coś uderzyło mnie w jego słowach. W jakiś dziwny sposób przypomniało mi się coś, co mówił ktoś inny.

Obróciłam się i spojrzałam na nauczyciela.

– Panie profesorze?

Kiedy na mnie spojrzał – z twarzą nadal stężałą w wyrazie kompletnej rozpaczy – ciągnęłam:

– Czy to ma coś wspólnego z... z Panią Nenufarów z Astolat?

Nigdy nie zapomnę, jaki wyraz przemknął wtedy przez jego twarz. Do końca życia tego nie zapomnę.

– Skąd... Skąd o tym wiesz? – Sapnął tak zgrzytliwie, że widać było, z jak ogromnym trudem w ogóle przemówił. – Kto ci powiedział?

– Przecież piszę o niej pracę.

Pan Morton wyraźnie nieco się odprężył. A przynajmniej, póki nie dodałam:

– Aha, przybrany brat Willa, Marco, też coś o tym wspominał...

I wtedy pan Morton znów zbladł.

– Przybrany brat. – Pokręcił głową. Miał jeszcze bardziej ponurą minę niż dotychczas. – Oczywiście. Gdyby tylko... Gdyby tylko... Gdyby tylko...

Mogłabym przysiąc, że potem dodał:

– Gdybym tylko zdołał go powstrzymać, kiedy miałem taką szansę...

– Powstrzymać kogo, panie profesorze?

Ale już wiedziałam. A przynajmniej tak mi się wydawało. Marco. Mógł mieć na myśli wyłącznie Marca.

Tyle że mnie się wydawało, że on powstrzymał Marca. Powstrzymał Marca, kiedy ten usiłował go zabić. Czy nie tak twierdziła plotka? Że Marco usiłował zabić pana Mortona i że pan Morton jakoś się obronił?

– Panie profesorze... – Stałam niezdecydowana w drzwiach. Co tu się działo? O co tu chodziło? To fakt, że wczoraj wieczorem wyobrażałam sobie, że Jennifer to Ginewra, Lance to Lancelot, Will to Artur, a Marco to Mordred...

Ale to tylko przez to, co... No cóż, przez to, że Marco nazwał mnie Elaine z Astolat. Nie wspominając już o tym, że chodzę do liceum Avalon, którego drużyna to Ekskalibury. Nie sądziłam – nawet mi się nie śniło – że to może mieć jakikolwiek związek z rzeczywistością.

Bo to przecież niemożliwe. Wszystko to wydarzyło się – jeśli w ogóle rzeczywiście się wydarzyło – setki lat temu. Jako córka dwojga historyków wiem lepiej niż ktokolwiek inny, że historia potrafi się powtarzać i że często to robi.

Ale nie w taki sposób.

I nikt – a przynajmniej nikt przy zdrowych zmysłach – nie może w to wierzyć.

Oprócz... członków Zakonu Niedźwiedzia. Ludzi, którzy wierzą, że przeznaczenie chce, żeby któregoś dnia król Artur odrodził się w kolejnym wcieleniu i znów wyprowadził świat z Wieków Ciemności...

Ale pan Morton nie mógłby przecież uczestniczyć w czymś tak absurdalnym. Jest nauczycielem. I to dobrym, sądząc ze wszystkiego, co o nim słyszałam. Nauczyciele nie wierzą w takie głupoty jak to, że jakiś średniowieczny król narodzi się na nowo, żeby zbawić świat.

Pozwalałam się ponosić wyobraźni, a tymczasem pan Morton nadal siedział za biurkiem i cierpiał. Na pewno mogłam coś dla niego zrobić. Ten biedny człowiek najwyraźniej czegoś potrzebował.

– Panie profesorze – odezwałam się. – Pozwoli mi pan... pozwoli mi pan zawiadomić pielęgniarkę? Nie wygląda pan zbyt dobrze. Chyba... Chyba jest pan chory.

Pan Morton zrobił wtedy coś dziwnego. Uniósł głowę i uśmiechnął się do mnie. To był smutny uśmiech. I nie przyszedł mu z łatwością.

Ale i tak się uśmiechnął.

– Nie jestem chory, Elaine – powiedział. – Tylko serce mnie boli.

Palcami gmerałam przy rączce plecaka.

– Nie powie mi pan dlaczego? Wie pan, może bym panu jakoś pomogła.

Oczywiście nie miałam pojęcia, jak to zrobić. Ale musiałam zapytać.

– Elaine, już jest za późno – cały czas miał ten sam przygnębiony ton. – Ale mimo wszystko dziękuję. I lepiej dla ciebie, żebyś koniec końców tego nie wiedziała. Przecież tym razem twoja rola w tej historii skończyła się, zanim w ogóle mogła się zacząć.

– Co pan ma na myśli, mówiąc „tym razem”? – Pokręciłam głową. – Co pan ma na myśli, mówiąc o mojej roli?

Ale wtedy właśnie zadzwonił dzwonek.

A pan Morton westchnął znużony i powiedział:

– Lepiej już idź na lekcje, Elaine.

– Ale co z Lance'em? Nie chce pan przełożyć spotkania na inny termin?

– Nie. – Pan Morton wziął gazetę z biurka i wrzucił ją, nieprzeczytaną, do kosza na śmieci. W jego głosie, kiedy znów się odezwał, pobrzmiewało coś ostatecznego. – Widzisz, teraz to już nie ma znaczenia.

I wtedy zrozumiałam, że zostałam już odprawiona.

Rozdział 18

Patrzy wzdłuż brzegów rzeki Pani,
Wzrok jej świat barwi nieszczęściami
Jak jasnowidza spojrzeniami.
Tak, z zasnutymi mgłą oczami,
Patrzyła w stronę Camelot.

Powiedziałam sobie, że oszalałam. Że jestem śmieszna. Mówiłam sobie wiele rzeczy.

Ale i tak to zrobiłam. Zamiast dołączyć na lunch do Liz i Stacy – które mnie poinformowały, że moja inicjacja została wyznaczona na nadchodzący weekend – zrobiłam to, co zawsze, kiedy nie miałam pojęcia, jak z czegoś wybrnąć. Zadzwoniłam do mojej mamy.

Nie bardzo miałam na to ochotę. Ale po tym dziwnym spotkaniu z panem Mortonem byłam jak otumaniona. I z każdą chwilą ogarniało mnie coraz większe zmieszanie.

„Tym razem twoja rola w tym wszystkim skończyła się, zanim w ogóle mogła się zacząć". W głowie rozbrzmiewały mi słowa pana Mortona. Moja rola? Tym razem?

„Gdybym tylko powstrzymał go, kiedy miałem taką szansę...". Powstrzymał kogo? Marca? Przed czym?

To wszystko nie miało najmniejszego sensu. Brzmiało jak brednie szaleńca.

Ale w oczach pana Mortona nie widziałam nawet śladu szaleństwa, tylko rozpacz.

I strach.

To było głupie i zupełnie nieprawdopodobne.

Więc kiedy zadzwonił dzwonek na przerwę na lunch, i tak znalazłam się przy najbliższej budce telefonicznej.

– Zakon Niedźwiedzia? – powtórzyła moja mama zaskoczona. – O czym ty, na litość boską...?

– Daj spokój, mamo – powiedziałam. – Przecież wiesz, o co chodzi. To było w jednej z twoich książek.

– No cóż, oczywiście, że o tym wiem. – W głosie mamy pobrzmiewało rozbawienie. – Jestem tylko zdumiona, słysząc, że ty rzeczywiście przeczytałaś jedną z moich książek. Zawsze tak stanowczo wypowiadasz się przeciwko wszystkiemu, co średniowieczne.

– Tak. – Usiłowałam ją dosłyszeć przez gwar na korytarzu. Może zrobi się trochę ciszej, kiedy wszyscy przejdą do stołówki. – Mówiłam ci, potrzebuję tego do referatu, który piszę. To tylko parę drobiazgów.

– Ellie, kotku – powiedziała mama. – Moim zdaniem to raczej nie fair, żebyś korzystała z pomocy specjalisty od czasów arturiańskich, pisząc swoją szkolną pracę. A co z innymi uczniami, którzy nie mogą tego zrobić?

– Mamo! – prawie krzyknęłam. – Po prostu odpowiedz mi na pytanie.

– O Zakon Niedźwiedzia? No cóż, to grupa ludzi, którzy wierzą, że któregoś dnia król Artur znów się narodzi i...

– ...wyprowadzi nas z Wieków Ciemności – dokończyłam za nią. – Wiem. Ale mnie chodzi o to... Czy to trochę nie tak, jak wierzyć w istoty pozaziemskie czy coś? Wydaje mi się, że to tylko banda szaleńców...

– W Zakonie Niedźwiedzia nie ma szaleńców, Ellie. To bardzo szanowana i dobrze wykształcona grupa ludzi – powiedziała. – To szalenie elitarna organizacja i niezwykle trudno się do niej dostać. Poza tym istnieją dowody, że król Artur rzeczywiście istniał, natomiast nie ma żadnego przekonującego dowodu, a przynajmniej moim zdaniem, że kiedykolwiek zostaliśmy odwiedzeni przez jakieś istoty z innej planety. Pochodzenie Artura da się prześledzić. Jego ojcem był Uter Pendragon, matką – Igraine, żona księcia Kornwalii. Jak rozumiesz, stanowiło to pewne utrudnienie, skoro ojciec jej dziecka nie był jej mężem. Ale Uter zabił księcia podczas bitwy i mógł się ożenić z Ingraine, a potem zrobić z Artura swojego legalnego spadkobiercę...

Z sykiem wciągnęłam powietrze w płuca, bo to, o czym mówiła mama, zabrzmiało mi dziwnie znajomo. Tyle że Jean była macochą Willa, a nie jego prawdziwą matką.

– Ale co z tymi fragmentami... Na przykład o Mordredzie? – zapytałam. – I o tym, że Artura otaczały jakieś mityczne istoty, Merlin i Pani Jeziora? Przecież to wszystko nie może być prawdą.

– Najprawdopodobniej jednak jest to prawdą, chociaż tylko w jakiejś części. Mordred rzeczywiście zabił Artura w walce o tron. A Merlin był prawdopodobnie kapłanem albo mędrcem, a nie czarodziejem, oczywiście. Jeśli chodzi o Panią Jeziora, no cóż, ta postać zawsze otoczona była tajemnicą...

– Ale Lancelot? – przerwałam. – I Ginewra? Oni też byli prawdziwi?

– Oczywiście, kochanie, chociaż odniesienia do nich pojawiają się znacznie później niż wzmianki o innych arturiańskich postaciach, takich jak pies Artura, Cavall...

O mało nie upuściłam słuchawki telefonu.

– Jego... pies?

– Tak, legendarny pies do polowań króla Artura, Cavall. – Mama coraz bardziej się rozkręcała, bo temat zawsze należał do jej ulubionych. Zaczęła wykład, coś, przed czym profesorowie uniwersyteccy nijak nie potrafią się powstrzymywać: – Cavall podobno posiadał niemal ludzką zdolność oceniania ludzi i sytuacji...

Cavall. Kawaler.

Nie, to nie było możliwe. Po prostu niemożliwe.

W gardle mi zaschło. Ale udało mi się wykrztusić:

– Czy Artur miał jakąś łódź?

– Oczywiście, każdy legendarny bohater miał swoją łódź, ta należąca do Artura nazywała się „Prydwyn". Miał wiele przygód na morzu... – Mama chyba przypomniała sobie, że rozmawia ze swoją córką, a nie z jedną z podyplomowych studentek, bo nagle przerwała i zapytała: – Ellie, wszystko w porządku? Nigdy się nie interesowałaś takimi rzeczami. Na pewno dobrze się czujesz? Mam po ciebie przyjechać i zabrać cię ze szkoły? Wiesz, tata i ja jedziemy dzisiaj wieczorem do Waszyngtonu na obiad z doktorem Montrose i jego żoną? Będziesz mogła zostać sama? Na kanale Pogoda mówili, że zbliża się jakiś sztorm. Wiesz, gdzie są latarki, prawda, w razie gdyby zabrakło prądu?

Prydwyn. Pride Winn.

Pamiętałam, jak Will wczoraj zachichotał, kiedy wyjaśniał mi, skąd wziął taką dziwną nazwę dla swojego jachtu.

Po prostu przyszła mu do głowy. I już została. Tak samo jak imię dla psa, Kawaler.

A fakt, że lubił słuchać średniowiecznej muzyki. I myślał, że mnie zna. Z innego życia.

– Co to za praca, Elaine? Chyba zbyt szczegółowa, jak na licealne wypracowanie... – usłyszałam w słuchawce.

– Muszę lecieć, mamo – powiedziałam i rozłączyłam się, nie odpowiadając na jej pytanie

Bo zauważyłam, że w budce, w której stałam, wisiała podniszczona książka telefoniczna hrabstwa Arundel. Podniosłam ją.

Nie chciałam w niej znaleźć niczego konkretnego, wręcz przeciwnie, miałam zamiar udowodnić, że to, co przyszło mi do głowy, jest kompletnym szaleństwem. Wzięłam tę książkę, bo wiedziałam, że to nie może być prawda. Po to, żeby zapomnieć o przerażeniu, które wykrzywiło twarz pana Mortona pobrużdżoną zmarszczkami, kiedy mu powiedziałam o Lansie i Jennifer.

Zrobiłam to, żeby przestały mi się pocić dłonie.

Otworzyłam książkę na literze W.

Bo to „A" w A. William Wagner musiało być skrótem od czegoś. Nigdy przedtem nie przyszło mi do głowy zapytać, ale teraz chciałam to wiedzieć.

Zazwyczaj, kiedy chłopak używa swojego drugiego imienia, znaczy to, że pierwsze jest takie samo, jak u ojca. Ojciec Willa prawdopodobnie miał na imię Anthony, albo Andrew. A Will nie lubił, żeby go nazywać Andrew, bo powodowało to po prostu za dużo zamieszania...

Znalazłam to niemal natychmiast. **Wagner, Artur, Adm**. A obok adres Willa.

Gapiłam się na tę stronę i nie wierzyłam własnym oczom. Artur. Will miał na pierwsze imię Artur.

I miał psa o imieniu Kawaler i łódź nazwaną „Pride Winn".

Jego najlepszy przyjaciel to Lance. A jego dziewczyna – teraz już była dziewczyna – miała na imię Jennifer, co jest angielską wersją Ginewry.

Tata Willa ożenił się z żoną innego mężczyzny po tym, jak jej pierwszy mąż zmarł. Niektórzy mówią, że nie odbyło się to bez udziału admirała Wagnera...

Upuściłam książkę telefoniczną. Musiałam jakoś wziąć się w garść. To na pewno był tylko zbieg okoliczności, te podobieństwa między Willem a królem Arturem, o którym właśnie opowiedziała mi mama. Bo Jean – tak miała na imię macocha Willa – nie była jego matką, więc nie można jej porównywać do Igraine. Mama Willa umarła, kiedy się urodził, wiele lat temu. Will i Marco byli przybranymi braćmi, a nie prawdziwymi krewnymi. Nie było między nimi żadnych więzów krwi.

Widzicie? Cała ta historia, którą ubzdurał sobie pan Morton, nie była prawdą. Nie mogła nią być. I nie była.

Wzięłam plecak i poszłam do łazienki. Odkręciłam zimną wodę i opłukałam sobie twarz, a potem spojrzałam w lustrze na swoje mokre odbicie nad rzędem umywalek.

Co ja sobie, u licha, wyobrażałam? Naprawdę wierzyłam, że Artur – legendarny król Anglii, założyciel Okrągłego Stołu – ponownie się urodził i mieszkał w Annapolis? I czy ja, Elaine Harrison, mogłabym być Elaine z Astolat, tą, która się zabiła dla takiego faceta jak Lance?

Ta myśl od razu mnie otrzeźwiła. Po pierwsze, wykluczone, żebym była reinkarnacją tej idiotki, Elaine. A po drugie, ludzie – nawet legendarni królowie Anglii – nie odradzają się na nowo. Tego typu rzeczy się nie zdarzają. Żyjemy w uporządkowanym świecie, w którym królują wiedza i wykształcenie. Nie musimy tworzyć mitów i legend, żeby wyjaśniać sprawy, których nie rozumiemy, tak jak w dawnych czasach. Już wiemy, że wszystkie zjawiska mają swoje naukowe wyjaśnienie.

Will Wagner nie jest współczesnym wcieleniem Artura.

Ale...

A gdyby to była prawda?

Złapałam za krawędź umywalki, wpatrując się we własne odbicie. Co się ze mną działo? Czy naprawdę zaczynałam wierzyć w coś tak kompletnie idiotycznego? Jak to możliwe? Przecież jestem na wskroś praktyczna. To Nancy jest romantyczką, nie ja. Moi rodzice to naukowcy. Nie mogę sobie pozwalać na to, by wierzyć w takie brednie.

A jednak parę sekund później znów chwyciłam swój plecak i pobiegłam z powrotem do klasy, w której siedziałam parę godzin wcześniej. Musiałam porozmawiać z panem Mortonem. Chciałam się przekonać, czy on naprawdę wierzy w to wszystko. Podejrzewałam, że tak. W takim razie któreś z nas albo, co gorsza, oboje jesteśmy szaleni..

Nie wiedziałam, co mu powiem. Że wiem? Ale co ja takiego wiedziałam? Nic!

Poza tym, że jakoś nie mogłam się pozbyć tego dziwnego uczucia, że coś się stanie.

Kiedy dotarłam do pracowni, okazało się, że nie ma tam pana Mortona. Przy tablicy stała pani Pavarti, wicedyrektorka szkoły.

– Tak? – powiedziała na mój widok. Wszyscy w klasie, uczniowie, którzy przerwę na lunch mieli po piątej, nie po czwartej lekcji, jak ja, spojrzeli w moją stronę. Przyglądali mi się z zainteresowaniem, kiedy stałam w drzwiach, ściskając w ręce plecak. Jestem pewna, że wyglądałam jak kompletne dziwadło, z mokrymi plamami po wodzie na koszulce, z rozczochranym kucykiem i oczami wielkimi jak spodki.

– Mogę ci w czymś pomóc? – spytała grzecznie pani Pavarti.

– J-ja... sz-szukam pana Mortona – wykrztusiłam.

– Pan Morton wziął wolne do końca dnia. Nie czuł się dobrze. A ty? Nie powinnaś być na lekcji? Albo na lunchu? Gdzie masz przepustkę na korytarz?

Odwróciłam się bez słowa.

Pan Morton poszedł do domu, wziął wolne do końca dnia.

Niezłe zagranie, kolego. Ale nie wyplączesz się z tego tak łatwo.

– Przepraszam. – Pani Pavarti wyszła za mną na korytarz. – Młoda damo, zadałam ci pytanie. Gdzie twoja przepustka? Na jakiej lekcji powinnaś być w tej chwili?

Nawet się na nią nie obejrzałam. Poszłam prosto w stronę drzwi szkoły.

– Stój! – Głos pani Pavarti zabrzmiał donośnie w pustym korytarzu. Widziałam, jak ludzie z administracji zerkają w naszą stronę, zastanawiając się, co się dzieje. – Jak się nazywasz? Młoda damo, jak śmiesz tak się zachowywać!

Ja nie szłam. Biegłam.

I nie przestałam biec, dopóki nie znalazłam się poza terenem szkoły. Och, pani Pavarti i tak nie miała szans, żeby mnie dogonić. Ale po prostu nie mogłam się zmusić, żeby zwolnić kroku. To było zupełnie tak, jakbym biegnąc, dość szybko mogła sprawić, że to wszystko okaże się nieprawdą. A wtedy rozjaśni mi się w głowie i zdam sobie sprawę z tego, jaką byłam idiotką. I wszystko znów wróci do normy.

Tyle że kiedy wreszcie zwolniłam, wcale się tak nie poczułam. Nic nie było, jak dawniej, normalne. Wręcz odwrotnie. Na przykład, po raz pierwszy w życiu, wyszłam ze szkoły bez pozwolenia.

Byłam wagarowiczką, młodocianym przestępcą.

A co w tym wszystkim najgorsze? Nic mnie to nie obchodziło.

Rozdział 19

Zeszła, do łodzi się dostała,
Co gdzieś pod wierzbą chybotała
I na jej dziobie napisała:
Pani na Shalott.

Pół godziny później taksówka zatrzymała się przed apartamentowcem, a ja wręczyłam kierowcy niemal połowę pieniędzy, które miałam przy sobie – osiem dolarów. Zostało mi drugie tyle, żeby potem wrócić do szkoły.

Nadal było mi wszystko jedno.

Nic mnie nie obchodziło, że znalazłam się w dzielnicy, w której nigdy wcześniej nie byłam. Ani to, że nie mam pojęcia, jak stąd dotrzeć do domu, i nie wiem, czy wystarczy mi na to pieniędzy. Najważniejsze, że znalazłam pana Mortona – z kolejnej budki telefonicznej zadzwoniłam do informacji i poprosiłam o jego adres – i uzyskam od niego kilka sensownych odpowiedzi.

Taką miałam nadzieję.

Wiedziałam, że jest w domu. Zza drzwi, do których waliłam, dobiegał głośny hałas telewizora. Pewnie dlatego mnie nie słyszał i upłynęło tyle czasu, zanim otworzył.

Kiedy wreszcie uchylił drzwi, zrozumiałam, że się pomyliłam. Wcale nie chodziło o to, że mnie nie słyszał. Nie otworzył drzwi od razu, bo najpierw wyglądał przez wizjer, żeby sprawdzić, kto przyszedł.

W ręku trzymał olbrzymią patelnię. Chciał się nią bronić, gdyby okazało się, że odwiedził go jakiś niebezpieczny typ. Przynajmniej tak to wyglądało, bo kiedy zobaczył, że jestem sama, natychmiast opuścił patelnię.

– Och – powiedział. – To ty.

Nie wydawał się zaskoczony, raczej zrezygnowany.

– Odejdź – dodał. – Jestem zajęty.

I zaczął zamykać drzwi.

Ale ja byłam szybsza. Wsunęłam stopę w szczelinę i gruba podeszwa moich adidasów Nike nie pozwoliła mu zatrzasnąć mi drzwi przed nosem.

Nie wiem, co we mnie wstąpiło. Nigdy w życiu jeszcze czegoś podobnego nie zrobiłam – nie urwałam się z lekcji, nie opuściłam terenu szkoły bez zezwolenia, nie pojechałam do domu nauczyciela i nie wetknęłam mu stopy w drzwi, żeby nie mógł ich przede mną zatrzasnąć – to nie było do mnie podobne. Nic z tego nie było do mnie podobne. Serce mi ciężko waliło, dłonie ze zdenerwowania pokryły się potem. Czułam się, jakbym miała zaraz zemdleć.

Ale przejechałam kawał drogi i nie zrobiłam tego po to, żeby teraz dać się odesłać do domu. Musiałam z nim porozmawiać, chociaż nie miałam pojęcia dlaczego.

Może dlatego, że wyrosłam wśród ludzi, którzy znali odpowiedzi na wszystkie pytania w *Va Banque*. Teraz, wreszcie, chciałam uzyskać kilka odpowiedzi dla siebie samej.

Pan Morton opuścił wzrok na moją stopę. Wydał się zaskoczony faktem, że jestem taka zaradna.

Nie próbował się ze mną siłować. Wzruszył ramionami i powiedział:

– Jak chcesz.

A potem wrócił do tego, czym zajmował się przed moją wizytą. To znaczy, do pakowania.

Wszędzie porozrzucał swoje ubrania, chociaż wcale nie pakował ich do rozłożonych na podłodze walizek. Te zapełniał książkami. Grubymi książkami, jakie mój tata wiecznie znosi do domu z uniwersyteckiej biblioteki. Większość z nich wyglądała na bardzo stare. Nie miałam pojęcia, jakim cudem pan Morton zdoła unieść choć jedną z tych walizek, kiedy wreszcie zdoła je zamknąć.

Popatrzyłam na bagaże, a potem na pana Mortona. Sortował kolejne naręcze książek. Niektóre włożył do walizki. Inne po prostu rzucił na podłogę. Widać było, że nic go nie obchodzi, co stanie się z rzeczami, które zostawi.

– No, czego chcesz? – spytał, nadal przeglądając książki. – Nie mam dużo czasu. Muszę złapać samolot.

– Widzę. – Podniosłam książkę leżącą najbliżej. Nawet nie była po angielsku, ale i tak ją rozpoznałam. Tata miał ją na półce w domu, w St. Paul. *Le Morte d'Arthur*, Śmierć Artura. Fantastycznie. – To jakaś nieplanowana wycieczka?

– To nie jest żadna wycieczka – odparł krótko pan Morton. – Wyjeżdżam z miasta. Na dobre.

– Tak? – Spojrzałam na meble w pokoju, skromne i dość nowe, chociaż z wyglądu niespecjalnie drogie. – Dlaczego?

Pan Morton rzucił mi badawcze spojrzenie. A potem wrócił do swoich książek.

– Jeśli chodzi ci o stopień – powiedział, ignorując pytanie – to nie powinnaś się przejmować. Ktokolwiek zajmie moje miejsce, na pewno postawi ci piątkę. Szkic, który mi oddałaś, był bardzo dobrze napisany. Widać, że potrafisz sklecić razem parę zdań, czego się nie da powiedzieć o większości młodych kretynów z tej szkoły. Ty sobie spokojnie poradzisz. A teraz proszę, odejdź. Mam mnóstwo rzeczy do zrobienia i bardzo mało czasu na to wszystko.

– Dokąd pan jedzie?

– Na Tahiti – odparł. Przyjrzał się grzbietowi jednej z książek, a potem wrzucił ją do walizki.

– Tahiti? – powtórzyłam. – To dość daleko.

Zignorował pytanie, minął mnie i przymknął drzwi, które zostawiłam otworem.

– Mówiłem ci – powiedział, kiedy drzwi już były bezpiecznie zamknięte. Mówił tak cicho, że prawie go nie słyszałam, tym bardziej że w sąsiednim pokoju ryczał telewizor. – Twoja rola w tym wszystkim jest skończona. Nic więcej nie możesz zrobić... Niczego więcej się od ciebie nie oczekuje. A teraz bądź grzeczną dziewczynką, Elaine, i wracaj do szkoły.

– Nie. – Odsunęłam stosik książek, które leżały na sofie, i usiadłam na niej.

Pan Morton mrugał oczami, patrząc na mnie tak, jakby nie do końca rozumiał, co do niego przed chwilą powiedziałam.

– Proszę?

– Nie. – Mój głos brzmiał tak stanowczo, że sama byłam tym zaskoczona. W środku, oczywiście, cała się trzęsłam. Nigdy przedtem nie sprzeciwiłam się poleceniu nauczyciela – ani w zasadzie żadnego dorosłego. Nie miałam pojęcia, skąd u mnie taka odwaga, ale byłam bardzo zadowolona, że tak niespodziewanie się objawiła. – Nie, nie wyjdę. Dopóki nie powie mi pan, co się tutaj dzieje. Dlaczego cały czas mi pan powtarza, że moja rola w tym wszystkim już się skończyła? Moja rola w czym, tak konkretnie? Obawia się pan, że coś się stanie, ale co?

Pan Morton westchnął i powiedział zmęczonym głosem:

– Panno Harrison... Elaine. Proszę. Nie mam na to czasu. Muszę złapać ten samolot. – Sięgnął po książki, które odsunęłam. Po raz pierwszy dostrzegłam, że drżą mu ręce.

Patrzyłam na niego, całkowicie zaskoczona.

– Panie profesorze, co się dzieje? Czego pan się tak boi? Od czego pan ucieka?

– Panno Harrison – powiedział z trudem. A potem, jakby po zastanowieniu, dodał: – Twoi rodzice są tu na urlopie naukowym, tak? Mogliby zrobić sobie trochę wolnego od badań. Dlaczego ich nie poprosisz, żebyście we trójkę zrobili sobie jakąś wycieczkę? Gdzieś daleko od Wschodniego Wybrzeża. Najlepiej byłoby, gdybyście wyjechali od razu. – Zerknął w stronę okna. Chmury przesłoniły jasne popołudniowe słońce. – Im szybciej, tym lepiej.

A potem odwrócił się i dołożył jeszcze kilka książek do pakowanej walizki.

– Panie profesorze – zaczęłam ostrożnie – bardzo mi przykro, ale uważam, że potrzebuje pan pomocy. Pomocy jakiegoś specjalisty od zdrowia psychicznego.

Spojrzał na mnie ponad oprawkami okularów.

– Tak to widzisz? – Był oburzony.

Nie winiłam go za to. Chyba nie miałam prawa tak się do niego odnosić. No ale ktoś musiał mu to powiedzieć. Biedny facet dostał kompletnego kręćka. Owszem, miał powód, żeby się martwić o Willa, ale wyraźnie przesadził.

– Ja wiem, że ta sprawa z Willem, Lance'em i Jennifer wydaje się takim trochę... zbiegiem okoliczności – ciągnęłam. – Ale pan jest nauczycielem... Wychowawcą. Powinien pan kierować się rozsądkiem. Przecież tak naprawdę nie wierzy pan w coś tak idiotycznego, jak reinkarnacja króla Artura.

– I po to przejechałaś taki szmat drogi – zapytał pan Morton – żeby mi powiedzieć, że to, w co wierzę, jest idiotyczne? Pewnie się o mnie martwisz? Obawiasz się, że mogłem oszaleć?

– No... – Czułam się fatalnie, ale wiedziałam, że powinnam powiedzieć prawdę. – Tak. To znaczy, ja rozumiem, że ktoś... Nawet ktoś, kto nie należy do tej waszej sekty...

Nawet nie bardzo się zdziwił, kiedy usłyszał, że wiem o istnieniu tej jego grupy. Kiedy mnie skarcił, jego głos był łagodny:

– Zakon Niedźwiedzia, panno Harrison – powiedział – to świecka organizacja, a nie sekta.

– Nieważne. Zdaję sobie sprawę z tego, że kogoś, kto zna historię króla Artura, mogą zafascynować wszystkie te zbiegi okoliczności, pierwsze imię Willa, to, którego nie używa; fakt, że jego ojciec ożenił się z wdową po swoim przyjacielu, sprawa z Lance'em i Jennifer, imiona, jakie Will nadał psu i łodzi, tego typu rzeczy. Naprawdę można pomyśleć sobie: Hej, jasne. To nowe wcielenie króla Artura. Ale wie pan, są tu też istotne różnice. Jean nie jest prawdziwą mamą Willa, jego prawdziwa mama nie żyje. Marco jest jego przybranym bratem, nie przyrodnim. A ja z całą pewnością nie jestem

Panią Nenufarów z Astolat i za nic nie mogłabym się zakochać w Lansie. Pan jest nauczycielem, panie Morton. Powinien pan myśleć racjonalnie. Tak inteligentny człowiek jak pan nie może wierzyć w tę absurdalną historię, że król Artur powstał z martwych. No, chyba że ma pan świra.

Mrugnął powiekami, a potem powiedział:

– Ja w to nie wierzę, panno Harrison. Ja to wiem. To jest fakt, Artur powróci. Już wrócił. Tylko że... – Mina mu spochmurniała.

A potem znów zamknął się w sobie.

– Nie. To nic nie da. Lepiej, żebyś nie wiedziała. Pokręcił głową. – Wiedza... może być niebezpieczna. Ja czasami... No cóż, bardzo często wolałbym nie wiedzieć.

– Zaryzykuję. – Założyłam ramiona na piersi.

Wpatrywał się we mnie jakąś minutę. Wreszcie powiedział:

– Jak chcesz. Jesteś inteligentną dziewczyną, przynajmniej taka się do tej pory wydawałaś. A gdybym ci miał powiedzieć, że mój zakon jest tajnym stowarzyszeniem, którego jedynym zadaniem są próby udaremnienia działań mrocznych sił, które nie pozwalają królowi Arturowi odzyskać mocy?

– Pewnie bym panu odpowiedziała, że już to wiem. A także, że są leki, za pomocą których można zapobiegać stanom paranoidalnym.

Zrobił kwaśną minę.

– Przecież my nie oczekujemy, że król Artur wyskoczy ze swojego grobowca z Ekskaliburem w dłoni. Nie jesteśmy prostakami, panno Harrison. Podobnie jak tybetańscy mnisi, którzy przeszukują cały świat, żeby odnaleźć następnego dalajlamę, członkowie Zakonu Niedźwiedzia w każdym pokoleniu wyszukują potencjalnych Arturów. – Zdjął okulary i zaczął przecierać ich szkła chusteczką, którą wyjął z tylnej kieszeni spodni. – Kiedy znajdujemy chłopca, który, naszym zdaniem, może być jego reinkarnacją, wysyłamy jednego z członków zakonu, żeby go obserwował. Ten człowiek zazwyczaj udaje nauczyciela, tak jak ja. W większości przypadków chłopcy zawodzą. Ale raz na jakiś czas mamy poważne powody, aby wierzyć, że to ten właściwy. Tak było z Willem. – Założył okulary i spojrzał na mnie przez lśniące teraz szkła. – No i pozostaje jeszcze kwestia powstrzymania ciemnych mocy. Starają się zniszczyć chłopca, zanim ten pozna własny potencjał i go wykorzysta.

– I to tutaj przestaję rozumieć – powiedziałam. – Ciemne moce? Panie profesorze, niech pan da spokój. O czym pan mówi? Kto to ma być? Darth Vader? Voldemort?

– A uważasz, że to, co wieki temu stało się z Lancelotem i królową, to był zwykły romans? – Morton wyglądał, jakby zaszokowała go moja naiwność. – Żadne z nich nie może poszczycić się silnym charakterem. Moce przeciwne Arturowi wykorzystały to. Chciały zniszczyć nie tylko jego wiarę we własne siły, ale też zaufanie, które pokładali w nim ludzie. To wtedy Mordred, który jest, i zawsze będzie, przedstawicielem zła, ruszył do ostatecznego ataku.

– Och. – Przyglądałam mu się uważnie. Miałam nieco problemów z przetrawieniem tego, co mówił. No dobra, wszystkiego, co mówił.

Musiało to zabrzmieć, jakbym była bardzo zainteresowana tym tematem, bo pan Morton, wyraźnie zachęcony, mówił dalej:

– Wiesz, że za pierwszym razem on się rzeczywiście spóźnił? To znaczy, Mordred. Wieki Ciemności skończyły się mimo jego wysiłków. Artur wystarczająco długo zasiadał na tronie, żeby wyprowadzić z nich swój lud. I na koniec to nie Mordred przetrwał w annałach jako dobry i sprawiedliwy władca, ale jego brat, Artur. Ale Mordred wyciągnął wnioski z tej lekcji – ciągnął pan Morton. – I od tamtej pory, ile razy Artur znów usiłował powstać, Mordred już tam był, żeby go powstrzymać. Za każdym razem coraz wcześniej, żeby Światło nigdy nie mogło odnieść zwycięstwa. I tak to się będzie działo, widzisz, Elaine, aż do końca czasu... Albo dopóki dobro nie zatriumfuje wreszcie nad złem, raz na zawsze, a działaniom Mordreda nie położy się kresu.

Odchrząknęłam.

Rzecz w tym, że pan Morton wydawał się całkiem przytomny. Wyglądał na równie zdrowego psychicznie, co mój własny ojciec.

Ale to, co mówił... To, w co wierzył on sam i ten jego zakon... To było po prostu szalone. Nikt zdrowy na umyśle nie mógłby uwierzyć, że Will Wagner to wcielenie króla Artura. Nawet jeśli wziąłby pod uwagę wszystkie te zbiegi okoliczności. To nie miało żadnego sensu.

Zresztą nie tylko to.

– Nie rozumiem – powiedziałam wprost. – Jeśli naprawdę uważa pan, że Will to Artur, to dlaczego pan ucieka? Czy nie powinien pan tu zostać, żeby mu pomóc? Proszę mnie poprawić, jeśli się mylę, ale czy to nie pan został wyznaczony przez swój zakon, żeby go ochraniać?

Pan Morton miał szczerze zbolałą minę.

– Teraz nie ma już po co – wyjaśnił. – Kiedy już Ginewra go opuści, Artur staje się bezbronny wobec wszystkich knowań Mordreda. Widzieliśmy, jak to się powtarza niezliczoną ilość razy, niezależnie od tego, co usiłowaliśmy zrobić, żeby temu zapobiec. Mordred, z pomocą ciemnych mocy, oczywiście, zyska władzę, tak jak się to udało jego niezliczonym wcieleniom w przeszłości. Pomyśl sobie o najbardziej diabolicznych politycznych przywódcach w historii, a będziesz miała niejakie pojęcie, o czym mówię. Wszyscy oni to reinkarnacje Mordreda. A Artur... no cóż.

– Co Artur?

– No cóż – powtórzył pan Morton z nieswoją miną. – Umrze.

Rozdział 20

A gdy się wreszcie kończył dzień,
Zepchnęła łódź i legła weń.
Szeroki strumień poniósł hen
Panią na Shalott.

Umrze? – Patrzyłam na niego z niedowierzaniem. Wreszcie zrobiło mi się na tyle głupio, że się zmieszał.

– Tak.

– Ale... – Byłam w stanie tylko siedzieć i powtarzać jak papuga to, co on przed chwilą powiedział. – Umrze?

– Tak, oczywiście. – Pan Morton był teraz chyba nieco rozdrażniony. – A ty myślałaś, że co się stanie, Elaine? Jak sądzisz, dlaczego wyjeżdżam? Chyba nie myślisz, że chcę tu zostać i przyglądać się wszystkiemu?

– Ale... – Wciąż się na niego gapiłam. Usłyszałam dzisiaj wiele szalonych rzeczy, ale to był już szczyt wszystkiego. – Pan mówi o Willu? Uważa pan, że Will umrze?

– Musi – powiedział pan Morton przepraszającym tonem. – Żeby Mordred, czyli raczej Marco, mógł uzyskać przewagę...

– Uważa pan, że Mordred zrobi coś Willowi?

– Nie uważam, panno Harrison – powiedział spokojnie pan Morton. – Ja to wiem. Marco sam mi o tym powiedział w mojej pracowni rok temu, kiedy głupio próbowałem go przekonać, żeby zrezygnował ze swoich planów. Zrobiłem to wbrew rozkazom zakonu, bo tak samo jak ty teraz nie umiałem kiedyś uwierzyć, że człowiek może być zupełnie zły. Myślałem, że jeśli uda mi się dotrzeć do tego chłopaka, to może oprzytomnieje. Okazało się, że się myliłem. Przekonałem się o tym dość boleśnie, mógłbym dodać.

– To wtedy Marco pana zaatakował – zgadłam, dodając dwa do dwóch. Niestety, wynik wydawał się równie szalony jak wszystko w tej historii. – I został za to wywalony ze szkoły.

– Właśnie – potwierdził pan Morton. – Teraz widzę, że to była z mojej strony fatalna pomyłka. Uświadomiłem Marcowi istnienie zakonu i opowiedziałem o roli, którą chłopak odegra w tej historii, jeśli nie poniecha swych planów. Efekt był zupełnie inny od zamierzonego. Marco nie wyrzekł się zła, ale potraktował moje ostrzeżenia jako wymówkę, żeby tym pełniej opowiedzieć się po jego stronie. Coś w rodzaju: „No cóż, skoro takie jest moje przeznaczenie, to po co mam z nim walczyć?"

Mogłam tylko zamrugać powiekami, patrząc na niego.

– Więc Marco wie, że jest kolejnym wcieleniem Mordreda?

Mogłam sobie tylko wyobrażać, jak Marco przyjął tę informację. Pewnie zaśmiał się szyderczo.

A potem najwyraźniej chciał zabić posłańca. Tylko czy ta przemoc była na pewno nie do końca niezasłużona?

– Tak. I jest to moja wina – odparł pan Morton. – Chociaż chyba nie od razu w to uwierzył. Ale fakt, że cię rozpoznał jako Elaine z Astolat, zdaje się wskazywać, że pogodził się z tą myślą.

– Ja nie jestem – powiedziałam powoli i z wielką złością – Elaine z Astolat.

Pan Morton uśmiechnął się smutno.

– Zabawne. Dokładnie to samo powiedział wtedy Marco. Tylko on akurat upierał się, że nie jest Mordredem.

– On nie jest Mordredem. – Byłam wściekła. Naprawdę. To wszystko posunęło się za daleko. – A panu powinno się odebrać licencję nauczyciela za to, że opowiada pan podatnym na wpływy młodym ludziom, że są ponownymi wcieleniami jakichś mitycznych postaci!

Pan Morton pogroził mi palcem.

– No, no, Elaine – powiedział. – Doskonale wiesz, że nie są mityczne.

Miałam ochotę czymś w niego rzucić. W głowie mi się nie mieściło, że w ogóle prowadzę z nim tę rozmowę.

– Świetnie – odparłam. – No więc były prawdziwe. Kiedyś. I owszem, Artur istniał naprawdę. W takim razie załóżmy, tylko dla potrzeb tej dyskusji, że reinkarnacja rzeczywiście jest możliwa. Ostrzegł pan Marca, a czy powiedział pan o tym cokolwiek Willowi?

– To bezcelowe, Elaine – powiedział ze smutkiem pan Morton. – Mówiłem ci wcześniej, że teraz i tak jest już za późno. Członkowie zakonu usiłowali w przeszłości ostrzegać Niedźwiedzia przed tym, co mu grozi, tak jak ja bez powodzenia usiłowałem nawrócić Marca ku Światłu. Taka ingerencja nigdy nic dobrego nie przyniosła. W większości przypadków po prostu nam nie wierzył. A potem znów Mrok powstawał i pokonywał nas... i jego.

Gapiłam się na niego.

– Jeżeli więc to wszystko jest prawdą, jeśli dzieje się to naprawdę, to Marco zamierza zabić Willa. A pan uważa, że nie warto ostrzec go, co go czeka?

– Jest już za późno, Elaine. – Pan Morton pokręcił głową. – On już stracił Ginewrę i nie ma ochoty dłużej żyć...

– Ależ ja właśnie to usiłowałam panu dziś rano powiedzieć. – Prawie krzyknęłam, tracąc cierpliwość. Nie żebym choć przez moment wierzyła w ten stek bzdur. Ale po prostu dla dobra dyskusji... – Willowi zupełnie nie przeszkadza, że Jen zostawiła go dla Lance'a! Naprawdę. On mi powiedział, że mu wręcz ulżyło, kiedy się o nich dowiedział.

Pan Morton uśmiechnął się do mnie ze smutkiem.

– A gdybyśmy mu powiedzieli, Elaine, uważasz, że by nam uwierzył? Że zrobiłby coś, żeby chronić samego siebie?

Czy ty sądzisz, że to by zrobiło jakąkolwiek różnicę? Nie masz pojęcia, z czym się usiłujesz zmierzyć. Bitwa o Artura między Światłem a Ciemnością toczy się od stuleci. Zło nie zniesie żadnej ingerencji ze strony Światła. Będzie rzucać nam pod nogi przeszkody nie do pokonania – śmiertelnie groźne przeszkody. Mordred, z pomocą mrocznych mocy, znajdzie sposób, żeby zabić swojego brata, niezależnie od wszystkiego, co my...

– Marco wcale nie chce zabić Willa! – krzyknęłam, nadal nie mogąc uwierzyć, że w ogóle prowadzę tę rozmowę. – Dlaczego Marco miałby to zrobić?

– Pomijając fakt, że przez swoją chciwość i samolubne lekceważenie innych popadł w objęcia Ciemności? – Pan Morton zmarszczył brwi. – Zastanów się nad tym, Elaine.

Przypomniałam sobie Marca, jego kolczyki w uszach i drwiący sposób bycia. Jasne, bywał wredny i ta jego lodowato zimna skóra przyprawiała człowieka o dreszcze.

Ale zaraz morderca? No, usiłował zabić pana Mortona – ale facet mu przecież wmawiał, że jest wcieleniem jednej z najbardziej znienawidzonych historycznych postaci wszech czasów. Dlaczego miałby chcieć zabić Willa? Przecież sam przyznał, że odkąd jego matka wyszła za admirała, żyło mu się dużo lepiej. Nawet dostał jacht. A przynajmniej możliwość korzystania z niego. Co on takiego powiedział tamtego dnia?

„To nie ja mam farta. To Will go ma".

Czy to może chodzić o to?

– Uważa pan, że Marco będzie próbował zabić Willa, bo jest o niego zazdrosny? I zły o to, co tata Willa zrobił jego ojcu? Czy to o to chodzi?

– Tym razem? – Pan Morton pokiwał głową. – Kryje się w tym o wiele więcej, niż mogłabyś sobie wyobrazić, ale wydaje mi się, że częściowo może chodzić właśnie o to.

– Za każdym razem jest inaczej? – To była ta część, która sprawiała, że tak ciężko było uwierzyć, że to są naprawdę jakieś paranoidalne złudzenia, jak usiłowałam się upierać w pierwszej chwili. Ta historia była tak dokładnie przemyślana, że w jakiś sposób wydawała się sensowna.

– Za każdym razem są to wariacje na kilka tematów – potwierdził pan Morton. – Widzisz, Mordred nienawidził Artura dlatego, że sam pragnął tronu. Odwrócił się od własnych ludzi, nie dbał o nich, chciał tylko zaspokoić własne potrzeby i ambicje. To wtedy Mrok nim zawładnął i zrobił z niego narzędzie...

– Niech pan przestanie! – Zakryłam dłońmi uszy, zaczynając czuć się tym wszystkim przytłoczona. – Ja już nie chcę nic więcej słyszeć o ciemnej stronie, okay? Chcę tylko wiedzieć, skoro jest pan taki pewien, że to wszystko znów się stanie, jak pan może tak po prostu uciec i pozwolić zamordować Willa. Rozumiem, że pan się obawia tej... tej Ciemności. – Teraz już i mnie można było posądzić o szaleństwo, ale nic mnie to nie obchodziło. – Ale na litość boską, dlaczego pan chociaż nie pójdzie na policję?

– I co im powiem, Elaine? – Pan Morton uśmiechnął się z żalem. – Że według prastarej przepowiedni, która spełniała się już niezliczoną ilość razy, ten oto młody człowiek któregoś dnia zabije swojego przybranego brata i w ten sposób sprowadzi nieszczęście na nasz świat? Nie mogę tego zrobić. Wiesz, że nie uwierzą.

Nie. Nie uwierzą. Ja sama nie chciałam w to uwierzyć. Bo to wszystko było kompletnie porąbane.

– A nawet gdyby chcieli mi pomóc – ciągnął pan Morton – policja nie jest w stanie nic zrobić. Rewolwery i policyjne pałki są bezsilne wobec gniewu Ciemności. A ja byłbym winien wplątania niewinnych dusz w wojnę, w której nigdy nie mogłyby zwyciężyć. A w każdym razie powszechnie wierzy się, chociaż jeszcze trzeba tego dowieść, że tylko osoby z najbliższego otoczenia Artura mogą zakończyć panowanie zła.

– A więc... – Odgarnęłam z oczu kosmyk włosów. – Kto? Lance? Jennifer?

– Z pewnością – powiedział. – Któreś z tych dwojga. Ale nie... No cóż, nie ty.

Rzuciłam mu paskudne spojrzenie.

– Bo tamta Elaine z Astolat nigdy nie spotkała króla Artura? O to chodzi?

– Mówiłem ci, że lepiej, żebyś tego nie wiedziała – przypomniał mi pan Morton smutnym tonem.

– Byłabym durna – zapewniłam go – gdybym miała rzeczywiście w to wszystko uwierzyć.

Pan Morton popatrzył na mnie, a troska złagodziła jego pobrużdżone rysy.

– Elaine – odezwał się łagodnie – idź do domu. Poproś rodziców, żeby cię zabrali gdzieś daleko stąd. Może z powrotem do Minnesoty. Byłoby dla ciebie lepiej, gdybyś po prostu wróciła z powrotem do domu.

Coś w sposobie, w jaki wypowiedział słowo „dom", sprawiło, że nie wytrzymałam.

Mówiąc prosto, szlag mnie trafił. Zniosłam całą resztę. Gadanie o Ciemności i o niebezpieczeństwach grożących tym, którzy chcą ją pokonać. O tym, że Will żyje tylko dla Jennifer. Nawet o Tahiti.

Ale tego już nie zamierzałam znosić.

– Do domu? – powtórzyłam. – A co pan o tym wie? Dom to nie miejsce. To ludzie, którzy go tworzą... Ludzie, o których się troszczysz i którzy się troszczą o ciebie... Albo troszczyliby się, gdybyś się nie odwracał na pięcie i nie porzucał ich, żeby sobie jechać na Tahiti, bo wierzysz w jakąś idiotyczną przepowiednię. Nie bardzo wierzę w całą tę historię ze Światłem i Ciemnością, panie Morton. Ale wiem jedną rzecz, gdybyście pan i ten tak zwany zakon rzeczywiście byli po stronie Willa, nie porzucalibyście go, nawet nie próbując mu pomóc. On by z wami nigdy tak nie postąpił. Nigdy by nie powiedział: „Och, no cóż, zawsze tak było, więc chyba lepiej nie próbować nic zmieniać, bo jak raz próbowałem, to się nie udało, a zło zawsze wygrywa".

Głos mi się załamał, ale było mi już wszystko jedno. Po prostu dalej wrzeszczałam:

– Bo czy nie to właśnie sprawiło, że ten pana Artur stał się taki popularny? Podobno był tym wielkim, innowacyjnym myślicielem, który nie chciał postępować tak, jak mu ludzie kazali, tylko dlatego, że od zawsze robiło się w ten sposób jakąś rzecz. Jeśli Will naprawdę jest Arturem, a nie twierdzę, że nim jest, bo moim zdaniem, wszystko to jakaś głupota, to czy on naprawdę wycofałby się, mówiąc: „Och, nie mogę tego zmienić, bo nikt tego przedtem nie zrobił", i zostawiłby pana na śmierć. Nie, nie zrobiłby tego. I wie pan co, panie Morton? Ja też tak nie zrobię.

Bez jednego słowa więcej zawróciłam i wyszłam z mieszkania pana Mortona, z wysoko uniesioną głową i wyprostowanymi plecami, jakbym to ja, a nie Jennifer Gold, była w jakimś poprzednim życiu królową.

Rozdział 21

Suknia jej luźna, śnieżnobiała
Miękko wzdłuż łodzi burt leżała.
Pod liśćmi świeca zamierała
Mroczna noc z wolna zapadała
I ogarniała Camelot.

Wiedziałam od mojego brata Geoffa, który był doświadczonym wagarowiczem, że zazwyczaj administracji szkolnej zajmowało cały dzień, zanim udawało im się dopaść winowajcę. Wiedziałam więc też, że przynajmniej przez jeden dzień nie grozi mi wezwanie do gabinetu wicedyrektor Pavarti w celu wyjaśnienia mojej nieobecności na piątej i szóstej lekcji.

Ale i tak uznałam, że bezpieczniej będzie posiedzieć w damskiej łazience, dopóki nie odezwie się dzwonek na przerwę, niż snuć się po korytarzach i ryzykować, że ktoś mnie złapie.

Tak więc dałam nura do najbliższej łazienki.

Zdawałam sobie sprawę, że przede wszystkim będę musiała znaleźć Willa. Nie miałam pojęcia, jakie lekcje ma na siódmej i ósmej godzinie, ale będę musiała jakoś się tego dowiedzieć. A potem złapię go i opowiem, że jeden z nauczycieli z liceum Avalon uważa go za reinkarnację średniowiecznego króla. No i że grozi mu wielkie, śmiertelne niebezpieczeństwo ze strony jego przybranego brata.

Pan Morton miał rację co do jednego. Will w to, oczywiście, nie uwierzy. Jaki człowiek przy zdrowych zmysłach by to zrobił?

Ale to nie znaczyło, że nie ma prawa się tego dowiedzieć.

Czesałam się przed lustrem nad umywalką, kiedy zdałam sobie sprawę, że nie jestem w tej łazience sama. Usłyszałam jakieś pociąganie nosem zza drzwi ostatniej kabiny. Były zamknięte. Pochyliłam się, żeby zajrzeć pod przepierzeniem między drzwiami kabiny i podłogą, i zobaczyłam białe buty do aerobiku, do których przywiązana była para charakterystycznych niebiesko-złotych pomponików liceum Avalon.

W damskiej łazience była ze mną jakaś zapłakana czirliderka.

I biorąc pod uwagę, jak mi się do tej pory toczył ten dzień, chyba trafnie się domyślałam, która to.

– Jennifer? – odezwałam się i zapukałam do drzwi. – To ja, Ellie. Nic ci nie jest?

Usłyszałam szczególnie zasmarkane chlipnięcie. A potem Jennifer odezwała się schrypniętym głosem:

– Odejdź.

– Daj spokój, Jennifer – powiedziałam. – Otwórz i pogadaj ze mną. Nie może być aż tak źle.

Chwilę milczała. A potem usłyszałam, że odsuwa zasuwkę, i Jennifer – nadal prześliczna, mimo zaczerwienionych oczu – wysunęła się z kabiny, ocierając twarz długimi rękawami swetra.

– N-nie mów nikomu – wyjąkała. Spojrzała na mnie swoimi wielkimi, zmartwionymi, błękitnymi oczami. – Nie chcę, żeby wiedzieli, że mnie złapałaś na płaczu. Szczególnie te plotkarki z drużyny lekkoatletycznej, z którymi trzymasz. Okay? Bo one mnie nienawidzą i to jeszcze tylko wszystko pogorszy.

– Nic nie powiem – zapewniłam ją. Złapałam garść papierowych ręczników z pojemnika na ścianie i zwilżyłam je pod kranem, a potem jej podałam. – Ale one wcale cię nie nienawidzą.

– Żartujesz chyba? – Jennifer ocierała papierowymi ręcznikami czerwone oczy. – Wszyscy mnie nienawidzą. Za to, co zrobiłam Willowi.

– Nikt cię nie nienawidzi – powiedziałam. – Ja cię nie nienawidzę. I Will też cię wcale nie nienawidzi.

Ku mojemu zdumieniu Jennifer znów zaczęła płakać, chociaż myślałam, że już jej przeszło.

– Wiem! – wybuchnęła. – To jest właśnie najgorsze! Will podszedł do mnie dziś rano i był taki słodki! Powiedział, że wie, że Lance i ja nie chcieliśmy go zranić i że on zupełnie nie ma nic przeciwko temu, żebyśmy byli r-razem. Powiedział nawet, że jego z-zdaniem tworzymy udaną parę. Lance i ja! O mój Boże. Chciałabym umrzeć!

– Dlaczego? – zapytałam, poklepując ją po ramieniu. Chciałam ją pocieszyć. – Nie wierzysz mu?

– Oczywiście, że mu wierzę. – Jennifer zaśmiała się, ale usłyszałam w tym coś, jakby niedowierzanie. – To znaczy, to fakt, że Will... On nigdy nie kłamie. Nawet po to, żeby ktoś się lepiej poczuł. No cóż, może gdybyś była chora, to by powiedział, że wyglądasz świetnie czy coś. Ale nigdy... Nigdy w ważnych sprawach. Więc wiem, że powiedział prawdę. Właśnie w tym rzecz. Jemu to wcale nie przeszkadza, że Lance i ja... On jest po prostu taki... miły.

Jakiś chłód ścisnął mnie za serce, ale powiedziałam sobie, że jestem niemądra. I samolubna.

– Więc chcesz się z nim znów zejść? – zapytałam lekkim tonem, chociaż wcale nie było mi w tej chwili lekko na duszy. Bo, oczywiście, nagle zdałam sobie sprawę, jak bardzo liczyłam na to, że teraz, kiedy Will jest wolny, może przestanie myśleć, że jesteśmy tylko przyjaciółmi, ale i... No cóż, nieważne.

Ale jeśli on i Jennifer znów się zejdą, to się nigdy nie zdarzy.

– Sama nie wiem – odparła żałośnie. – Jakąś częścią zawsze go będę kochała. Ale cała reszta mnie... Uważasz, że to możliwe, żeby kochać naraz dwóch chłopaków?

Wzruszyłam bezradnie ramionami.

– Nie wiem. Ja się zakochałam tylko w jednym...

– W Willu, prawda? – spytała Jennifer. Otarła oczy.

Spojrzałam na nią w totalnym szoku.

– C-co? Nie! Oczywiście, że nie! Chodzi o innego faceta. On ma na imię Tommy...

– W porządku – powiedziała Jennifer. Przestała już płakać. Wyjęła kosmetyczkę z torby i usiłowała poprawić makijaż. – To znaczy, nie mam do ciebie pretensji. I we dwójkę wyglądacie naprawdę fajnie. Oboje macie takie ciemne włosy. I tak dalej.

Miałam wrażenie, że się udławię.

– Ja nie... ja nie czuję do niego nic takiego.

– Nie? – Zacisnęła usta, a potem posmarowała wargi błyszczykiem. – No cóż, on cię lubi. To znaczy, od pierwszej chwili, kiedy zobaczył cię tamtego dnia w parku, pamiętasz? To tak jakby znał ciebie z jakiegoś poprzedniego życia czy coś.

Uśmiechnęłam się z żalem. Bo, oczywiście, jeśli to, w co pan Morton wierzył, było prawdą – choć to oczywiście niemożliwe – to nie ja byłam osobą, którą Will znał w poprzednim życiu. Ten honor w całości przypadł Jennifer.

– On mnie po prostu lubi jak przyjaciółkę – powiedziałam już chyba po raz setny tego dnia.

– Nie byłabym tego taka pewna. – Jennifer miała nieco chmurną minę. – No bo zaprosił cię z nami na żagle. On nie zaprasza ot tak byle kogo na swój jacht. I mówi, że ten jego głupi pies cię polubił. Poza tym twierdzi, że może z tobą rozmawiać. Willa ostatnio bardzo interesują rozmowy. On... się zmienił, wiesz? – Spojrzała na mnie znacząco.

Ale ja nie rozumiałam.

– Jak to, zmienił się?

– Od czasu kiedy zaczęliśmy się spotykać. – Wzruszyła ramionami. – Kiedyś obchodziło go tylko żeglowanie i futbol. A potem zajął się samorządem szkolnym. Czasami – rzuciła mi niespokojne spojrzenie – chce rozmawiać o polityce.

Polityce! Latem mówił, że nie będzie startował do drużyny futbolowej, bo chce mieć więcej czasu na debaty klubu dyskusyjnego czy coś. Wyobrażasz sobie? Lance, dzięki Bogu, wybił mu to z głowy. Ale prawdę mówiąc, czułam, że on się zmienia w kogoś, kogo ja nawet nie znam... To właśnie najbardziej lubię w Lansie – ciągnęła, zamykając kosmetyczkę. – On nie chce ciągle rozmawiać, tak jak ostatnio Will. Przysięgam, czasami jest tak, jakby on wolał rozmawiać, niż... no, sama wiesz.

Wiedziałam. I zarumieniłam się na tę myśl.

– Byłoby bardzo fajnie, gdybyście z Willem zaczęli ze sobą chodzić – powiedziała Jennifer. Oczy jej rozbłysły. – Bo wtedy ludzie przestaliby się mnie czepiać ze względu na Lance'a. Bo wiesz, chociaż Will zamienia się trochę w dziwaka, z tą gadaniną o rzuceniu futbolu i przesiadywaniem w lasach, to nadal jest tak samo popularny jak kiedyś. Zastanów się nad tym, dobra?

Potrząsnęła puszystymi jasnymi lokami, a potem obróciła się i spojrzała na mnie.

– No, co o tym myślisz? Widać, że parę minut temu ryczałam?

Popatrzyłam na nią. I ogarnęło mnie przygnębienie.

Bo była prześliczna. Nawet po tym, jak to ujęła, ryczeniu. Nawet za milion lat nie mogłabym z kimś takim konkurować, niezależnie co ona sama o tym mówiła.

Nie chodziło tylko o to, że jest taka ładna. Gdyby to było tylko to, mogłabym po prostu, bez żadnego poczucia winy, nienawidzić jej.

Ale nie mogłam jej nawet nie lubić, bo w sumie była całkiem w porządku. Pogodnie oświadczyła, że jej zdaniem, chłopak, w którym była jeszcze trochę zakochana, jest być może bardziej zainteresowany mną... a potem – zupełnie szczerze – przyznała, że chciałaby, żebym zaczęła się z nim spotykać, bo może to jej ułatwi towarzyskie sytuacje. Jak można kogoś takiego nie lubić?

– Wyglądasz świetnie.

– Dzięki. – Jennifer uniosła brodę, żeby spojrzeć mi w twarz.

– Nikomu nie powiesz, prawda?

– Nie, naprawdę nie powiem.

– To dziwne – zastanowiła się i podeszła do drzwi łazienki. – Ale ja ci naprawdę wierzę. A przecież prawie cię nie znam. Musisz być widocznie jedną z tych osób. No wiesz, tych, co to masz wrażenie, że już je kiedyś spotkałaś, chociaż wiesz, że to niemożliwe. Coś tak jak – dodała pogodnie, kładąc dłoń na klamce – z Willem.

No cóż, zamierzałam powiedzieć, to nie to samo.

Ale słowa zamarły mi w gardle. Bo mogłabym przysiąc, że w tej samej chwili usłyszałam za drzwiami łazienki pana Mortona.

Rozdział 22

Nuty melodii smutnej trwały
Coraz to cichsze, zamierały.
Krwi puls i skarga ustawały,
Oczy przymknięte pociemniały,
Zwrócone wciąż ku Camelot.

Obróciłam się na pięcie w samą porę, żeby go zobaczyć. Skręcał za róg w stronę biura szkolnego pedagoga. Jedną dłoń opiekuńczym gestem położył na plecach jakiejś szczupłej kobiety. Trudno to było stwierdzić z tyłu, ale wyglądała zupełnie jak macocha Willa.

Wtedy usłyszałam, jak pan Morton mówi z tym swoim suchym, brytyjskim akcentem:

– Proszę tędy, pani Wagner.

Teraz już byłam pewna, że to macocha Willa.

Co on, u licha, tu robił? Czy nie powinien już siedzieć w samolocie na Tahiti?

I dlaczego był tu akurat z panią Wagner?

Wiedziałam, że to może oznaczać wyłącznie kłopoty.

– Zobaczymy się później – powiedziałam do Jennifer.

Czirliderka szła dalej korytarzem, nieświadoma tego, co się dzieje za naszymi plecami.

– Och. – Odwróciła się lekko przez ramię. – Taak, jasne.

Zawróciłam i pobiegłam za panem Mortonem, który przytrzymywał otwarte drzwi biura szkolnego pedagoga przed panią Wagner.

– Tędy – mówił. – Sprawdzę tylko, czy sala konferencyjna jest wolna...

– Panie profesorze. – Przystanęłam tuż za nimi.

Pani Wagner obróciła się i zamrugała oczami, patrząc na mnie.

– Och! – Zadziwiające, że mimo dziesiątek osób, które musiała poznać w wieczór imprezy u Willa, chyba mnie rozpoznała. – Witaj. Chyba zapomniałam, jak się nazywasz.

– Ellie Harrison – powiedziałam prędko. – Panie profesorze, czy mogłabym zamienić z panem słowo tu, na korytarzu?

– Nie, panno Harrison – odparł stanowczo pan Morton. – Jak widzisz, jestem teraz dość zajęty. Pani Wagner, proszę wejść do środka. Jestem pewien, że pani Klopper... – sekretarka pedagoga szkolnego posłusznie wstała zza swojego biurka – znajdzie dla pani jakąś kawę, kiedy będziemy czekali, aż przyjdzie pani pasierb.

– Zaraz. – Patrzyłam na pana Mortona, który zza pleców pani Wagner dawał mi mało subtelne znaki, żebym sobie poszła. – Spotyka się pan z Willem razem z panią Wagner?

– Tak, panno Harrison, o ile nie ma pani nic przeciwko temu. Mamy parę istotnych spraw do wyjaśnienia. Nie powinna pani teraz być na jakiejś lekcji?

Istotne sprawy do wyjaśnienia z Willem? W żaden sposób nie miałam zamiaru pozwolić, żeby mnie to ominęło. Usiadłam na jednej z niebieskich kanap w sekretariacie i wzięłam egzemplarz „National Geographic".

– Mam zaraz spotkanie z pedagogiem szkolnym – skłamałam.

Pani Klopper obróciła się od ekspresu do kawy z dwoma kubkami w dłoniach i spojrzała na mnie z zaciekawieniem.

– Nie mam cię wpisanej do kalendarza – powiedziała. – A pani Enright wyszła na trochę.

– Potrzebuję porady – powiedziałam, usiłując zrobić zmartwioną minę. – W pewnej sprawie osobistej. To nagły przypadek.

Pani Klopper się zatroskała.

– No cóż, kochanie, zobaczymy, czy ktoś będzie mógł z tobą porozmawiać.

Wręczyła panu Mortonowi kubki z kawą i szybko wróciła do biurka, żeby zobaczyć, czy jest na dyżurze jakiś pedagog, który mógłby się mną zająć.

Kiedy rozmawiała przez telefon, pan Morton szepnął do mnie:

– W ogóle bym tego nie robił, gdybyś mnie nie wpędziła w poczucie winy. Przynajmniej mogłabyś teraz tego nie utrudniać.

– A co ja niby utrudniam? – odszepnęłam.

Ale w tym samym momencie w drzwiach pojawił się Will, z przepustką na korytarz w dłoni i lekko zdziwioną miną.

– Ktoś chciał mnie widzieć? – Zamilkł, kiedy zobaczył swoją macochę przez oszkloną ścianę pokoju konferencyjnego. – Jean? Panie profesorze? O co chodzi?

– Nic takiego, czym należałoby się za bardzo przejmować, młody człowieku. – Pan Morton wygłosił właśnie największe niedopowiedzenie roku. – Wejdź tutaj, dobrze? Chciałbym tylko wyjaśnić sobie parę spraw z tobą i twoją... hm, z panią Wagner.

Will minął kanapę, na której siedziałam, i poszedł w stronę pokoju konferencyjnego. Kiedy mnie mijał, uniósł brew, jakby chciał powiedzieć: „O co w tym wszystkim chodzi?"

– Nie wiem – wyszeptałam bezgłośnie w jego stronę, zza kartek czasopisma, którym osłoniłam sobie twarz przed wzrokiem pana Mortona. Bo naprawdę nie wiedziałam. A przynajmniej nie wiedziałam, co może mieć z tym wszystkim wspólnego macocha Willa.

Will uśmiechnął się do mnie nieco krzywo i wszedł do pokoju konferencyjnego. Pan Morton, rzucając ostatnie ostrzegawcze spojrzenie w moją stronę, zamknął za sobą drzwi. Nie zadał sobie trudu, żeby opuścić żaluzje, widziałam więc, jak odstawia od stołu krzesło, żeby Will mógł usiąść, a potem sam zajmuje miejsce przy stole. Później, składając dłonie na blacie stołu, pan Morton zaczął mówić.

Nie słyszałam ani słowa. Widziałam tylko wyraz twarzy pani Wagner (twarzy Willa nie mogłam zobaczyć, bo siedział plecami do mnie). W ciągu zaledwie dwóch minut macocha Willa przestała wyglądać na grzecznie zainteresowaną. Najpierw wydawała się zaskoczona, a potem przerażona.

Co, u licha, on jej tam mówił?

– Hm. – Pani Klopper chrząknięciem odwróciła moją uwagę od tego, co się działo za szybą. – Ellie, tak? Obawiam się, że w tej chwili nikt nie może się z tobą zobaczyć, ale pani Enright wróci do szkoły za jakiś kwadrans. Możesz tyle poczekać, prawda?

– Jasne. – Uniosłam czasopismo i udawałam, że pochłonęła mnie lektura. Tak naprawdę usiłowałam czytać z ust pana Mortona. Po co ja chodziłam na te wszystkie niepotrzebne zajęcia, jak biologia czy niemiecki, kiedy powinnam była uczyć się czytania z ruchów warg?

Nie potrzebowałam tego, żeby zrozumieć scenę, która rozegrała się za chwilę. Pani Wagner nagłym ruchem podniosła dłoń do ust, jakby coś, co powiedział pan Morton, przyprawiło ją o szok. A potem z miejsca wybuchnęła płaczem. Za chwilę kiwała głową i wyciągnęła rękę do Willa.

Will natomiast odsunął się od niej, zerwał z krzesła i cofnął od stołu. Nadal nie widziałam jego twarzy, ale dostrzegłam, że potrząsa głową.

Co tam się działo? Czy pan Morton właśnie powiedział Willowi, że jest kolejnym wcieleniem króla Artura? Ale po takiej informacji Will nie podrywałby się na nogi i nie zaprzeczał jej tak gwałtownie. Powinno go to raczej rozśmieszyć. Co w takim razie powiedział pan Morton, że Will się zdenerwował, a jego macocha rozpłakała?

– Nie wolno ci tu przychodzić!

Spanikowany głos pani Klopper ponownie oderwał moją uwagę od sceny rozgrywającej się za szkłem. Tylko dlatego zresztą, że wydało mi się, że ona mówi do mnie.

Pomyliłam się. Pani Klopper powiedziała to do chłopaka, który wszedł do biura pedagoga tak, że nic nie słyszałam, a teraz stał i gapił się na trio w pokoju konferencyjnym, jakby nie było w tym budynku niczego ciekawszego.

– Marco. – Poderwałam się z kanapy.

Ale on mnie nie słyszał. Oddychał z trudem, w dłoni trzymał kluczyki od samochodu. Patrzył na swoją matkę i przybranego brata, a jego ciemne oczy przepełniało coś, co mi się wcale nie podobało. Nie wiedziałam, co to takiego, ale napewno nie wróżyło nic dobrego.

– Wiesz, że nie wolno ci wchodzić na teren szkoły, Marco. – Głos pani Klopper drżał z lęku. Podniosła słuchawkę służbowego telefonu i zaczęła wybierać jakiś numer. – Nie po tym, co zdarzyło się poprzednio. Dzwonię na policję. Lepiej wyjdź od razu.

Ale Marco nie wyszedł. Zamiast tego ruszył w stronę pokoju konferencyjnego.

Nie wiem, co we mnie wtedy wstąpiło. Zazwyczaj nie jestem jakąś specjalnie dzielną osobą... Może pomijając węże. Marco raczej nie wyglądał jak wąż. A raczej przypominał węża, ale nie takiego na wpół podtopionego, jakiego można znaleźć zwiniętego w kłębek w filtrze basenu, tylko jak najbardziej żywego grzechotnika, którego nagle zauważasz u swoich stóp, gotowego, by uderzyć cię kłami pełnymi jadu.

Ale to mnie nie powstrzymało przed rzuceniem się między niego a drzwi pokoju konferencyjnego... Dokładnie w tej samej chwili pan Morton podniósł głowę i dostrzegł obecność Marca.

– Marco. – Oddychałam z równym trudem, co on. – Cześć. Jak leci?

Nawet na mnie nie spojrzał. Nie odrywał wzroku od Willa.

– Ellie, zejdź mi z drogi.

– Nie wolno ci tu być. – Rzuciłam zaniepokojone spojrzenie przez ramię. Pani Wagner zauważyła syna i usiłowała osuszyć oczy. Will stał jak osłupiały. – Pani Klopper zadzwoniła po policję. Lepiej już idź.

– Nie. – Nadal patrzył na matkę. – Nie, dopóki się nie dowiem, o czym rozmawiali.

– Chyba to, o czym rozmawiali, to sprawa prywatna. Wiesz, tylko między Willem a twoją mamą.

– I Mortonem? – Marco spojrzał wreszcie na mnie. A kiedy to zrobił, jeden kącik ust uniósł mu się w sarkastycznym uśmieszku. – A co on ma do powiedzenia mojej matce?

– Cokolwiek to jest – miałam nadzieję, że pan Morton jednak nie usiłował przekonać Willa, że jest on reinkarnacją króla Artura – z całą pewnością to nie nasza sprawa, więc...

– Mylisz się – powiedział Marco. – Odsuń się. Już. Albo sam cię przesunę.

– Jeśli tkniesz tę dziewczynę chociaż palcem – odezwała się piskliwie pani Klopper – pożałujesz tego. Wiesz, że nie wolno ci tu w ogóle przebywać...

W tym momencie Marco, najwyraźniej zmęczony piskami pani Klopper, wyciągnął rękę i odepchnął mnie z taką łatwością, jakbym była zasłoną prysznicową.

Poleciałam na sofę. Nie uderzyłam się.

Pani Klopper wrzasnęła i rzuciła się w moją stronę. Will, który najwyraźniej to wszystko widział, szarpnął za drzwi pokoju konferencyjnego i krzyknął:

– Marco! Co ty sobie wyobrażasz?!

– Zabawne – powiedział zimnym tonem Marco. – Właśnie miałem cię zapytać o to samo.

A potem wszedł zamaszystym krokiem do pokoju konferencyjnego, zatrzaskując za sobą przeszklone drzwi z taką siłą, że ściany pokoiku się zatrzęsły.

– O Boże! – zawołała pani Klopper. Usiłowała podźwignąć mnie z sofy. – Nic ci nie zrobił?

– Nic mi nie jest – powiedziałam szybko. Nie widziałam, co się dzieje w pokoju konferencyjnym, kiedy tak nade mną wisiała. Przechyliwszy się, żeby zerknąć ponad szerokim ramieniem sekretarki, zobaczyłam, że pan Morton tłumaczy coś zdenerwowanemu Marcowi. Pani Wagner przestała płakać i teraz ona coś do niego mówiła – coś, co chyba nie sprawiło mu przyjemności. Co chwila spoglądał na Willa, którego wydawały się ogarniać różne, sprzeczne ze sobą emocje – o ile można było w ogóle coś wnioskować z jego miny – wściekłość, niedowierzanie i wreszcie zniecierpliwienie, najwyraźniej związane z czymś, co powiedział Marco.

Czymś, co pani Klopper i ja usłyszałyśmy aż za dobrze, bo Marco wrzasnął to wystarczająco głośno, żeby dało się go słyszeć nawet przez grube szklane ściany:

– Nie wierzę w to!

W tej samej chwili do biura pedagoga szkolnego wpadli gliniarze, a pani Klopper, nadal opiekuńczo nade mną pochylona, pokazała im drżącym palcem Marca.

– Tam jest! Zaatakował tę biedną dziewczynę! Narusza zasady swojego warunkowego zwolnienia, pojawiając się na terenie szkoły!

Jeden z gliniarzy, ku mojemu przerażeniu, sięgnął po swoją policyjną pałkę.

– Znam tego dzieciaka. Wezwij posiłki – powiedział do swojego partnera.

Policjant sięgnął po krótkofalówkę, a ten pierwszy gliniarz położył dłoń na drzwiach pokoju konferencyjnego i pchnął je do środka.

A kiedy to zrobił, dało się słyszeć głośno i wyraźnie głos Marca.

– Nie jesteś jego matką! Powiedz mu! Powiedz mu, że to kłamstwo! – krzyczał. Stał tyłem do drzwi, nie miał więc pojęcia, że policja już przyjechała.

Pani Wagner przycisnęła dłonie do piersi.

– Nie mogę, kochanie, bo to jest prawda. Bardzo mi przykro, ale taka jest prawda – szeptała.

A wtedy odezwał się policjant:

– Przepraszam, że się wtrącam, ale otrzymaliśmy zawiadomienie...

Nie dokończył. Bo Marco, widząc wreszcie, że wpadł w tarapaty, skoczył przez stół konferencyjny – Stacy na ten widok pozieleniałaby z zazdrości – i stanął przed pojedynczym oknem.

Cisnął przez nie jedno z krzeseł, rozbijając szybę na milion kawałeczków.

A potem wyskoczył.

Rozdział 23

Bo nim do miasta łódź dotarła
Na fali, co z przypływem parła.
Śpiewając swoją pieśń, umarła
Pani na Shalott.

Proszę skręcić tutaj – powiedziałam funkcjonariuszowi policji, który odwoził mnie do domu.

Zjechał na długi podjazd wynajmowanego przez nas domu. Reflektory jego wozu wystraszyły sarenkę, która pasła się na poboczu. Chociaż było dopiero późne popołudnie, ciężkie szare chmury napłynęły znad zatoki. Zasłoniły słońce i poruszały się tak szybko, jak niesiony wiatrem dym. To, co wzięłam przez pomyłkę za kanonadę, okazało się grzmotem, a nie ćwiczeniami artylerzystów w Szkole Morskiej.

Zanosiło się na burzę.

– Żadnych świateł – zauważył posterunkowy Jenkins, kiedy wyłonił się przed nami dom. – Nie ma rodziców?

– Nie – powiedziałam. Zaczynał się zrywać silny wiatr, szarpiąc gałęzie drzew. – Pojechali do Waszyngtonu na obiad.

– Chcesz, żebym cię odprowadził do środka?

– Nie. Nie trzeba. Naprawdę. Wszystko w porządku.

Miałam wrażenie, że zapewniam o tym wszystkich przez całe popołudnie – od chwili, kiedy przyjechała policja, do momentu, kiedy wreszcie skończyli spisywać moje zeznanie i zgodzili się puścić mnie do domu... Wtedy zorientowałam się, że nie mam jak się tam dostać i musiałam poprosić, żeby mnie podwieźli. Pani Wagner kompletnie się załamała, więc pan Morton zaproponował, że ją podrzuci do domu. Will rzucił się za Markiem przez to samo okno, przez które tamten uciekł. Tak więc pani Klopper i ja byłyśmy jedynymi osobami, które mogły opisać, co tam właściwie zaszło...

Przy czym same ledwo mogłyśmy w to uwierzyć.

– No cóż, nie lubię plotkować na temat naszych uczniów – powiedziała pani Klopper do posterunkowego Jenkinsa po tym, kiedy pan Morton ostrożnie wyprowadził panią Wagner z sali konferencyjnej, a nas dwie poproszono o złożenie zeznań na temat całego zajścia. – Ale skoro panowie pytają, mam wrażenie, że macocha Willa Wagnera jest w rzeczywistości jego prawdziwą matką... I ani on, ani jego... hm, przyrodni brat Marco do dzisiaj tego nie wiedzieli.

Kiedy policjant spojrzał na mnie pytającym wzrokiem, wzruszyłam tylko ramionami i powiedziałam:

– Tak... To znaczy... Ja też tak to zrozumiałam.

Nie byłam natomiast w stanie zrozumieć, dlaczego pan Morton to zrobił. Dlaczego wrócił? Czy rzeczywiście mój wykład o tym, że Will nigdy by go nie zostawił w potrzebie, sprawił, że dopadły go wyrzuty sumienia?

Ale po co, na litość boską, namówił panią Wagner, żeby się przyznała, że jest prawdziwą matką Willa, a nie tylko jego macochą, jak wierzył do tej pory? W czym to miało pomóc?

– Jak tylko wejdziesz do środka, przygotuj sobie jakąś latarkę – powiedział posterunkowy Jenkins – żebyś nie musiała jej potem szukać, kiedy wyłączą prąd. Po tej stronie rzeki Servern sieć elektryczna często pada w czasie silnych burz.

– Dzięki.

– I nie martw się o Campbella. – Policjant miał głęboki, spokojny głos. – Wątpię, żeby miał się tu pojawić.

Znów mu podziękowałam. Nie wspomniałam jednak, że jeśli Marco pojawi się w moim domu, będzie to akurat najmniejsze z moich zmartwień.

A potem wysiadłam z wozu patrolowego i pobiegłam na frontową werandę, szukając w torbie kluczy. Posterunkowy Jenkins odczekał, aż je znalazłam i otworzyłam drzwi. Dopiero potem odjechał, zostawiając mnie samą w wielkim, ciemnym domu, do którego zbliżała się burza, i moce dobra i zła, walczące ze sobą o dawno zmarłego króla.

Jasne.

Weszłam do domu. Zapaliłam światła po drodze do pralni, gdzie profesor, który był właścicielem tego domu, zostawił plastikowy kosz z napisem: NAGŁE WYPADKI. Zdjęłam z niego pokrywę i złapałam latarkę i garść świec, które znalazłam w środku. Potem zabrałam to wszystko do kuchni, gdzie włączyłam telewizor.

Miejscowa stacja nadawała ostrzeżenie przed burzą dla całego hrabstwa Arundel. Już mieli doniesienia o niebezpiecznych uderzeniach piorunów i silnych wiatrach, którym towarzyszył ulewny deszcz i gdzieniegdzie grad.

Super.

Na lodówce leżała jakaś kartka. Odczytałam na niej: *Cześć, kochanie. W lodówce jest reszta żeberek. Podgrzej je w mikrofalówce. Wrócimy koło jedenastej. Zadzwoń, jeśli będziesz czegoś potrzebowała. Mama.*

Otworzyłam lodówkę i szukałam żeberek, ale jakoś w ogóle ich nie widziałam. Za to wciąż pamiętałam wściekłość Marca, kiedy jego matka zebrała się na to rozdzierające wyznanie. Widziałam Willa, kiedy wyskoczył za Markiem przez okno. Przysięgam, że wtedy serce zamarło mi w piersi.

No dobra, to tylko wysoki parter. A kiedy wszyscy podbiegliśmy do okna, zobaczyliśmy obu chłopaków biegnących przez parking dla uczniów – Marco przodem, a za nim goniący go zawzięcie Will – przy czym żadnemu ten skok z okna nie zaszkodził.

W tym momencie zerknęłam na pana Mortona i zobaczyłam na jego twarzy strach. Szalony czy nie, pan Morton bał się o Willa.

I ten jego strach był zaraźliwy.

Zamknęłam drzwi lodówki. Co za głupota. Nie mogłam tu siedzieć bezczynnie, wiedząc, że Will jest gdzieś tam na zewnątrz i usiłuje sobie poradzić z facetem, który ewidentnie tracił rozum. I nic mnie nie obchodziło to, że miał powód, żeby się wściekać, bo okazało się, że jego matka zdradzała jego tatę.

Odetchnęłam głęboko i sięgnęłam po słuchawkę telefonu.

– Nie ma na co czekać – powiedziałam do Berka, który siedział na środku kuchennej podłogi i wylizywał sobie futerko.

Wykręciłam numer Willa.

Nagrany głos poinformował mnie, że wszystkie linie są zajęte.

Skrzywiłam się i odłożyłam słuchawkę. To by było na tyle.

Znów otworzyłam lodówkę. Tym razem bez problemu znalazłam żeberka. Nie byłam głodna, ale musiałam się czymś zająć, inaczej na pewno bym zwariowała. Wrzuciłam je do mikrofalówki – a potem aż podskoczyłam, kiedy za oknem nad kuchennym zlewem oślepiająco jasna błyskawica zawisła nad ogrodem.

Światło na chwilę przygasło. Przestraszony Berek przestał myć futerko.

Liczyłam, jak ten dzieciak w filmie *Poltergeist*. Tysiąc i jeden. Tysiąc i dwa. Tysiąc i trzy.

Rozległ się grzmot, teraz zupełnie już nieprzypominający dalekiej salwy artyleryjskiej... Brzmiało to raczej jak samolot wojskowy przekraczający barierę dźwięku. Berek wyskoczył z kuchni jak kamień wystrzelony z procy, aby ukryć się w jakimś kącie.

Burza była o pięć kilometrów stąd.

Spróbowałam znów zadzwonić na komórkę Willa. Wszystkie linie zajęte.

Odłożyłam telefon. Zastanawiałam się, czy Will nie próbuje dokładnie w tej samej chwili dodzwonić się do mnie. Może i stąd te zajęte linie? Po tym, co się dzisiaj stało, można by oczekiwać, że będzie chciał z kimś porozmawiać – z kimś spoza swojej rodziny. W sumie byłam nawet nieco zdziwiona, że jeszcze do mnie nie zadzwonił.

Ale na automatycznej sekretarce nie było żadnych nowych wiadomości.

Z drugiej strony, może się zwrócił do Lance'a albo Jennifer, zamiast do mnie. Mimo wszystko, znał ich o wiele dłużej. To nawet sensowne, żeby zadzwonił do któregoś z nich przed telefonem do mnie...

„Jakąś częścią zawsze go będę kochać", powiedziała Jennifer w łazience. Może właśnie rozmawiają przez telefon. A kiedy już omówią wszystkie sprawy, znów będą razem. Może oni...

Pokręciłam głową, zastanawiając się, co mi odbiło. Traciłam panowanie nad sobą, naprawdę.

Usiadłam przed telewizorem z resztką żeberek i pojemnikiem sałatki ziemniaczanej. Jadłam, ale nie czułam żadnego smaku. Prezenter wiadomości czytał informacje o odwołanych lub przełożonych ze względu na nadchodzącą burzę imprezach: szkolnych meczach futbolu, różnych turniejach lacrosse'a, wystawie rolniczej hrabstwa, regatach żeglarskich.

Reporter z Baltimore, gdzie burza – która najwyraźniej pojawiła się znikąd – już uderzyła, stał obok samochodu przygwożdżonego przez drzewo, które powalił piorun, i ostrzegał o niebezpieczeństwach towarzyszących jeździe samochodem w czasie złej pogody.

Kolejny reporter pojawił się na ekranie, żeby poinformować, że obwodnica – którą moi rodzice wieczorem będą wracali do domu – została zamknięta. Burza zerwała przewody elektryczne, a te spadły na barierki przy autostradzie, powodując przebicia prądu.

Inny reporter zaczął opowiadać o tym, że ta niespodziewana burza to sztorm dziesięciolecia, a potem pokazali zdjęcia ulewy, która zwyczajnie zmyła z drogi do rowu jakiś samochód terenowy. W środku siedziała rodzina złożona z czterech osób...

Nagle przestałam tak bardzo obwiniać pana Mortona za chęć wyjazdu na Tahiti.

Oczywiście było to niemądre. Przecież to nie siły Ciemności wywołały burzę. Na ekranie pojawił się meteorolog i zaczął mówić o północno-wschodnich wiatrach i zimnych frontach napotykających fronty ciepłe, o wysokiej fali i prądach odpływowych.

I w momencie, w którym zaczynał radzić, co robić w przypadku odcięcia prądu, niebo za domem przecięła błyskawica jaśniejsza niż inne.

Tyle że niebo nie zrobiło się białe, tak jak zwykle podczas błyskawicy. Przez moment – tak krótki, że niemal gotowa byłam przysiąc, że to tylko wyobraźnia – niebo zrobiło się krwiście czerwone, a po chwili znów pociemniało.

A potem wszystkie światła zgasły.

Telewizor ucichł. Stanęła klimatyzacja. Cyfrowym zegarom przy kuchence i mikrofalówce zgasły wyświetlacze. Lodówka przestała mruczeć. Zapadła zupełna cisza...

Niebo przeszył kolejny potworny grzmot, od którego zadźwięczały szklanki w szafce z naczyniami.

Zadzwonił telefon.

Wrzasnęłam.

Zachowywałam się idiotycznie. To był tylko zwykły telefon. To normalne, że telefony nadal działają mimo przerwy w dostawie prądu, przynajmniej te, które były bezprzewodowe.

Ale i tak serce mi dygotało niemal tak samo głośno jak te szklanki w szafce, a palce mi się trzęsły, kiedy sięgnęłam do słuchawki.

– H-halo?

– Ellie? – To był głos mojej mamy, ciepły jak ulubiony kocyk. Czułam, jak puls mi zwalnia. – Właśnie dowiedzieliśmy się, że nasze hrabstwo najbardziej oberwie w czasie tej burzy. Wszystko w porządku, kochanie?

– Światła zgasły – oświadczyłam. Starałam się nie okazywać strachu, jaki mnie ogarnął.

– Tak – oświadczyła mama. – To się chyba często zdarza. Zajrzyj do książki telefonicznej i zadzwoń do elektrowni. Upewnij się po prostu, czy to cały rejon, czy tylko my. A potem siedź w domu. Tata i ja odwołaliśmy ten obiad i jesteśmy już w drodze.

– Nie, nie róbcie tego – powiedziałam słabym głosem. – Zamknęli obwodnicę. Spadły jakieś kable i barierki są pod napięciem.

Usłyszałam, jak mama przekazuje tę informację tacie. Tata zaklął. A potem mama powiedziała do mnie:

– Kochanie, posłuchaj... Masz latarkę?

Sięgnęłam po tę, która leżała na szafce. Nie potrzebowałam jej jeszcze – z zewnątrz wpadało dość światła, żebym mogła widzieć.

– Tak.

– Dobrze. Znajdź sobie jakąś dobrą książkę do czytania, a my przyjedziemy tak szybko, jak się da.

– Dobrze – powiedziałam. – To na razie, mamo.

Na zewnątrz znów zabłysła błyskawica. Odłożyłam słuchawkę i podbiegłam do okna, wyciągając szyję, żeby zobaczyć, czy niebo znów przybierze ten odcień krwawej czerni, czy nie.

Nie przybrało. Ale rozjaśniło się naprawdę ładnym odcieniem fioletu.

Wzięłam telefon. Tym razem zadzwoniłam do Willa do domu. Zajęte.

A potem przypomniałam sobie, że powinnam zadzwonić do elektrowni, więc wyciągnęłam książkę telefoniczną i znalazłam numer.

Przez jakieś pięć minut zabawiałam się słuchaniem automatycznej wiadomości – naciśnij jeden, żeby poinformować o migających światłach; dwa, jeśli czujesz, że coś się przepala; trzy, jeśli zdarzają się czasowe przerwy w dostawie prądu. Nacisnęłam cztery, żeby poinformować o całkowitym braku prądu.

Nagrany głos poinformował mnie, że są świadomi istnienia problemu i że odpowiednie służby już zostały wysłane. Cieszyłam się, że nie muszę pracować w elektrowni. Nie chciałabym być nigdzie „wysyłana" w taką pogodę.

Właśnie rozważałam, czy nie włączyć latarki i nie zabrać się do lekcji z trygonometrii, gdy znów zadzwonił telefon. Tym razem nie rozpoznałam głosu po drugiej stronie linii.

– Halo? – odezwała się jakaś kobieta. – Czy mogę mówić z... eee... Ellie Harrison?

– Przy telefonie – odparłam. Mama wpoiła mi „telefoniczne" dobre maniery.

– Och, Ellie, dzień dobry – powiedziała kobieta z wyraźną ulgą. – Mówi Jean Wagner... eee... macocha Willa.

Nagle z całej siły ścisnęłam słuchawkę.

Usiłowałam zachować spokój.

– Dzień dobry, pani Wagner. Ja... przepraszam. Za to, co stało się w szkole.

– Mnie też jest przykro – powiedziała pani Wagner. – Nawet sobie nie wyobrażasz jak. Dlatego właśnie dzwonię. Zastanawiałam się, czy Willa nie ma u ciebie?

Teraz ściskałam już słuchawkę tak mocno, że myślałam, że złamię ją wpół.

– Nie. – Czułam, że serce zaraz wyskoczy mi z piersi, tak mocno się tłukło. – Miałam nadzieję, że może pani będzie wiedziała, co się z nim dzieje.

– Ostatni raz widziałam go – pani Wagner odkaszlnęła – wtedy w szkole. Miałam nadzieję, że... Sama nie wiem, gdzie obaj zniknęli. Nie zawracałabym ci głowy, ale wiem, że Will ostatnio bywał u ciebie w domu, i miałam nadzieję, że dzisiaj też...

– Ciągle słuchając pani Wagner, przeszłam przez pokój w stronę przesuwanych drzwi prowadzących na taras. Nie spojrzałam w stronę basenu ani razu od powrotu do domu, tak byłam pochłonięta nadchodzącą burzą.

Teraz odsunęłam zasłony, tłumacząc sobie, że wszystko będzie dobrze. Zobaczę tam Willa. Będzie siedział na Skale Pająka, a ja odsunę drzwi i krzyknę: „Hej, wielki głuptasie! Po co tam siedzisz? Nie widzisz, że zaraz będzie lało? Wchodź do środka".

Ale jego tam oczywiście nie było. Patrzyłam, jak potężny podmuch wiatru poderwał mój materac z wody i cisnął nim o kępę krzaków. Woda burzyła się, chociaż filtr nie pracował, bo nie było prądu. Wyglądało to jak wielki kocioł czarownicy, w którym woda się za chwilę zagotuje.

Szybko z powrotem zasunęłam zasłonę.

– ...albo że będziesz wiedziała, gdzie on może teraz być – mówiła pani Wagner. – Już sprawdziliśmy w marinie, ale tam go nie ma... I przecież nie wyprowadzałby jachtu przy takiej pogodzie. Rozmawiałam z jego przyjacielem, Lance'em, i z tą małą Jenny Gold, ale do żadnego z nich się nie odzywał. – Usłyszałam po tamtej stronie linii jakieś szczekanie, a potem głos pani Wagner: – Kawaler! Kawaler, uspokój się! – Sekundę później powiedziała do mnie: – Przepraszam cię. To pies Willa... Nie wiem, co w niego wstąpiło. Zazwyczaj jest taki dobrze ułożony. Ta burza chyba go zdenerwowała. Rzecz w tym, że Marco... No cóż, obawiam się, że Will może być w... w pewnym niebezpieczeństwie.

– Niebezpieczeństwie? – Ręka, w której ściskałam słuchawkę, zaczęła mi się teraz pocić. Była tak mokra, że ledwie mogłam utrzymać telefon. – W jakim niebezpieczeństwie, pani Wagner?

Tylko nie te jakieś ciemne siły, modliłam się. Proszę, niech ona w to nie wierzy! Czy pan Morton ją też przekabacił?

Głos jej się załamał.

– Och – powiedziała. – O Boże. Przepraszam. Nie zamierzałam... Obiecywałam, że nie będę płakać. Widzisz, chodzi o Marca. – Teraz płakała już otwarcie, a w tle rozmowy cały czas szczekał Kawaler. – Artur, mój mąż, mówi, żeby się nie przejmować, ale ja nie wiem, jak miałabym... Widzisz, ktoś się włamał do jego szafki z bronią. Brakuje jednego z jego rewolwerów. Myślę, że mógł go zabrać Marco i że planuje coś...

Nie usłyszałam, co zdaniem pani Wagner mógł planować Marco. To dlatego, że znów pojawiła się oślepiająco jasna błyskawica, a ze słuchawki rozległ się paskudny pisk i miałam wrażenie, że trzepnął mnie prąd. Upuściłam ją z krzykiem, a kiedy pochyliłam się, żeby podnieść telefon, połączenie było przerwane.

Rozdział 24

Burzliwie wionął wschodni wiatr,
W wichrze las żółty nagle zbladł,
Szeroki strumień w brzegach słabł,
Ciężko z chmur niskich deszcz się kładł
Na wieże Camelot.

Fakt, że szlag trafił połączenie z panią Wagner w pół zdania, nie miał żadnego znaczenia. Nie musiałam czekać, aż usłyszę resztę. Wiedziałam, co mi powie.

Tak jak wiedziałam, co muszę teraz zrobić.

Bo wiedziałam, dokąd poszedł Will. Jeśli nie było go w domu ani na jachcie i jeśli nie było go z Lance'em, Jennifer ani ze mną...

No cóż, mógł być tylko w jednym miejscu.

Kłopot w tym, że nie miałam samochodu, żeby tam pojechać. Jeszcze nie zaczęło padać, ale niebo z każdą sekundą ciemniało. Wyglądało na to, że ulewa była kwestią sekund, nawet nie minut.

I nie przestawało grzmieć. Wręcz przeciwnie, błyskało jeszcze częściej. Grzmiało teraz niemal bez przerwy.

Błysk. Zaczęłam liczyć: jeden tysiąc... Trach.

Burza była już tylko o kilometr.

Ale co z tego? – pomyślałam, kiedy wkładałam adidasy. Harrison, nie jesteś z cukru. Nie rozpuścisz się.

Ktoś się włamał do szafki z bronią admirała Wagnera.

Park był odległy o trzy kilometry. Trzy kilometry to ja przebiegałam codziennie, nawet więcej. Okay, może nie po asfalcie, nie po posiłku i nie w trakcie bijącej rekordy burzy.

Ale co innego mogłam zrobić?

Sięgnęłam po pierwszą z brzegu wiszącą przy drzwiach kurtkę – wodoodporną wiatrówkę taty. Miała nawet kaptur. Idealnie.

Broń. On ma broń.

Byłam w pół drogi do drzwi, kiedy to się znów stało. Tym razem zobaczyłam błyskawicę przecinającą ciemność jak rysa na jakimś niebiańskim talerzu. Była tak blisko, że miałam wrażenie, że walnie w dom sąsiadów.

A potem, zupełnie jak wtedy, niebo zrobiło się ciemnoczerwone jak krew. Tylko na moment, bo zamrugałam przy tej nagłej zmianie światła.

A potem niebo znów było ołowianoszare.

– To tylko błyskawica – powiedziałam sobie. – Nie żadne siły Ciemności spiskujące przeciwko tobie.

Ale i tak głos mi drżał przy tych słowach. Jakie było prawdopodobieństwo, że Marco będzie ścigał Willa przy takiej pogodzie? Na pewno on też ze dwa razy się zastanowi, zanim wyjdzie na zewnątrz w środku szalejącej północno-wschodniej burzy.

A potem przypomniałam sobie o rewolwerze. Jeśli Marco był na tyle szalony, żeby ukraść jeden z rewolwerów swojego ojczyma, to na pewno nie pozwoli, żeby przeszkodził mu taki drobiazg jak burza dziesięciolecia.

Świetnie.

No cóż, na pogodę nic nie mogłam poradzić. Ale ten rewolwer.

„Rewolwery i policyjne pałki są bezsilne wobec gniewu Ciemności", powiedział pan Morton.

I nagle zawróciłam od drzwi frontowych i wbiegłam po schodach na piętro.

– Niech się tylko nie okaże, że on go ze sobą zabrał – mruczałam pod nosem, biegnąc korytarzem w stronę gabinetu taty. – Niech się tylko nie okaże, że on go zabrał...

Nie zabrał. Leżał tam, gdzie tata go zostawił, rzucony na środek biurka niczym wieczne pióro. Zacisnęłam dłoń na rękojeści i uniosłam go. Był o wiele cięższy niż pamiętałam. Ale na to też nic nie mogłam poradzić.

Owinęłam go wiatrówką taty. Jak przez mgłę przypominałam sobie, że czytałam gdzieś, że miecza nie powinno się moczyć. Chociaż mogło chodzić o cięciwę łuku – takiego, z jakiego strzela się strzałami. Tyle że i tak nie mogłam biec ulicą, trzymając w ręku miecz. Co by na to powiedzieli sąsiedzi? To by totalnie zrujnowało nasz wizerunek.

Trzymając w ramionach owinięty wiatrówką miecz, popędziłam na dół po schodach. Nie umiałabym nawet powiedzieć, co zamierzałam z nim zrobić.Grozić Marcowi? Miecz, a zwłaszcza tak bezużyteczny, zardzewiały, średniowieczny – przeciwko rewolwerowi? Tak. To na pewno podziała. Marco podda się, jak tylko go zobaczy.

Albo nie.

Ale musiałam coś zrobić.

I wydaje mi się – jeśli chcecie uwierzyć w to, że północno-wschodni sztorm szalejący w tym momencie nad Annapolis był robotą ciemnych mocy, a nie, jak powiedział meteorolog, skutkiem starcia dwóch frontów atmosferycznych – że zabierając miecz, zrobiłam przykrość komuś tam, na górze, bo kiedy tylko wyszłam z nim za próg, niebo rozdarła najbliższa jak do tej pory błyskawica...

Uderzyła tak blisko, że przez moment miałam wrażenie, że trafiła we mnie. Aż mi włosy na karku stanęły dęba. Wrzasnęłam. Bałam się podnosić oczu, żeby zobaczyć, jaki kolor niebo przybrało teraz. Za bardzo byłam zajęta biegiem. Rzuciłam się prosto wzdłuż naszego podjazdu, potem pobiegłam naszą ulicą, a nogi wydawały się nieść mnie same.

Przyciskając miecz do piersi, biegłam wzdłuż asfaltowanej drogi. Już oddychałam z trudem. A ja myślałam, że bieganie w wilgotnym, sierpniowym powietrzu Marylandu jest trudne. Okazało się, że to jeszcze nic w porównaniu z bieganiem w naelektryzowanym powietrzu podczas burzy, ze średniowiecznym mieczem w objęciach.

Kiedy dotarłam do głównej drogi, zaskoczył mnie jej widok. Wiatr zdążył już postrącać gałęzie drzew. Leżały na poboczu jak płotki na bieżni... albo jak węże. Liście były obrócone spodem do góry i połyskiwały bladą szarością w resztkach światła przepuszczanego przez gęste czarne chmury.

Wzięłam głęboki oddech i ani na chwilę nie gubiąc kroku, zaczęłam biec, omijając przeszkody. Cały czas byłam nieprzyjemnie świadoma faktu, że biegnę po drodze nieprzeznaczonej dla pieszych. Nie było tu żadnego chodnika ani ścieżki rowerowej. Biegłam wzdłuż zwyczajnej szosy, omijając zwalone konary drzew, trzymając w rękach wielki miecz i modląc się, żeby nie pojawił się jakiś samochód. A jeśli już, to, żeby zauważył mnie na czas i ominął.

Nie miałam szczęścia. Coś akurat nadjeżdżało.

Z taką prędkością, że nie było mowy, żeby kierowca – jakaś zdenerwowana mama, która chciała jeszcze odebrać dzieci z treningu piłki nożnej przed burzą, zanim deszcz się rozpada i przemoczy je do szpiku kości – zdołała mnie ominąć. Pruła prosto na mnie. Zauważyła mnie w ostatniej chwili, a wtedy nacisnęła klakson i w tym samym momencie nadepnęła na hamulec...

„Zło nie zniesie żadnej ingerencji ze strony Światła. Będzie rzucać nam pod nogi przeszkody nie do pokonania – śmiertelnie groźne przeszkody" – znów usłyszałam w myślach głos pana Mortona.

Skoczyłam w bok zręcznie jak sarna, którą widziałam wcześniej na skraju naszego podjazdu, i zaczęłam biec po trawnikach przed domami, zamiast po samej drodze.

Okazało się to o wiele wygodniejsze niż omijanie jadących wężykiem terenówek i zwalonych gałęzi drzew. Poza tym trawa nie obciążała tak jak asfalt moich stawów skokowych.

Siłom Ciemności – o ile istniały – wcale nie spodobało się to bardziej niż fakt, że zabrałam ze sobą miecz. Albo po prostu przyszła wreszcie pora na oberwanie chmury. Z nieba lunęła nagle zasłona ostrego, kłującego deszczu, który w mgnieniu oka przemoczył mi T-shirt i szorty i przykleił włosy do karku.

Biegłam dalej, ściskając miecz jeszcze mocniej. Usiłowałam ignorować siekący deszcz. Widziałam drogę przed sobą nie dalej niż na jakieś dwa kroki, a trawa pod moimi stopami zamieniała się w rzekę błota. Powiedziałam sobie, że muszę się już teraz zbliżać do Wawy. A Wawa była w połowie drogi do parku. Jeszcze tylko jeden kilometr. Został mi już tylko jeden kilometr.

A Ciemności nie zostało już nic, czym by mnie mogła powstrzymać. Błyskawice mnie nie powstrzymały. Nadjeżdżający samochód mnie nie powstrzymał. Deszcz mnie nie powstrzymał.

Strach mnie nie powstrzymał.

Nic mnie nie mogło zatrzymać. Na pewno tam dotrę. Na pewno tam dotrę...

Wtedy zaczął padać grad.

W pierwszej chwili wydało mi się, że spod stóp poleciał mi jakiś kamień. Potem uderzył mnie kolejny. I następny. Wkrótce grudki lodu waliły mnie po głowie i ramionach, po udach i łydkach.

Ale ja nadal biegłam. Uniosłam nad głową miecz – bezpiecznie schowany przed gradem w kurtce taty – wykorzystując go jak coś w rodzaju tarczy mającej mnie osłonić przed najgorszymi uderzeniami. Zaczęłam biec pod drzewami, chociaż ten meteorolog w wiadomościach powiedział, że nie można wybrać gorszego schronienia w czasie burzy.

Jeszcze gorzej było chyba znaleźć się pod drzewem, niosąc długi metalowy przedmiot...

Ale było mi wszystko jedno. Nie na darmo byłam mistrzynią okręgu – to znaczy, w domu – na dwieście metrów kobiet. Byłam dla nich za szybka. – Za szybka dla błyskawicy, która przecięła niebo, tym razem zabarwiając je na niezdrowy zielony odcień, zamiast krwistoczerwonego. Za szybka dla ogłuszającego uderzenia pioruna, które nastąpiło niecałą sekundę później. Za szybka dla deszczu. Dla samochodów. Dla gradu…

Burza szalała dokładnie nad moją głową.

I była nieujarzmiona.

Grad znów przeszedł w deszcz. Lało strumieniami. Przemokłam do tego stopnia, że było mi wszystko jedno. Nagle, przez ciężką szarą zasłonę deszczu, dostrzegłam znak witający mnie w parku Anne Arundel: PROSIMY NIE ŚMIECIĆ.

Dotarłam tam. Udało mi się. Zatoczyłam się w stronę znaku, dopiero w tej chwili zdając sobie sprawę, że płakałam, chyba od momentu kiedy zaczął padać grad. Ja, która nigdy nie płaczę.

I wtedy przestało padać.

Zupełnie jakby ktoś zakręcił kran.

Zatrzymałam się tylko na moment, żeby obetrzeć wodę z oczu. A potem znów ruszyłam biegiem – sprintem właściwie – w kierunku arboretum. Nad moją głową niebo zaryczało w proteście, jakby byli tam jacyś giganci, rozmawiający ze sobą.

Kiedy mijałam zalane deszczem korty tenisowe i mokre pole do lacrosse'a, zobaczyłam coś, co sprawiło mi w tej chwili większą przyjemność, niż gdyby mi podano suchy ręcznik:

Na parkingu stał jeden jedyny samochód. Należał do Willa.

Był tam. Był bezpieczny.

Ale w samochodzie go nie znalazłam. Sprawdziłam. Był zamknięty.

I pusty.

Nie mógł przeczekiwać całego tego gradu w arboretum. Nie, skoro miał przyjemny, bezpieczny samochód, do którego mógł pobiec.

Spóźniłam się. Na pewno się spóźniłam. Marco już tu dotarł i zdążył uciec. Na pewno znajdę Willa martwego na tym jego głazie. Wiedziałam to.

Ale przecież gdyby już nie żył, Ciemność nie zadałaby sobie tyle trudu, żeby mnie powstrzymać przed dotarciem tutaj...

Ale przecież przestało. Przestało padać.

A potem sama siebie skarciłam. O czym ja myślę? Jaka Ciemność?

To była burza. Zwyczajna burza.

Pojawiła się znikąd. Wywracała drzewa i rwała przewody elektryczne, a mojego kota zmusiła do ucieczki i poszukiwania jakiegoś bezpiecznego kąta. Ta burza sprawiła, że pies histerycznie szczekał do telefonu. Szczekał do mnie.

Przyspieszyłam kroku. Biegłam najszybciej jak mogłam, a miecz trzymałam za rękojeść jedną dłonią.

W arboretum, gdzie spodziewałam się zastać pobojowisko – powalone konary, a nawet wywrócone całe drzewa – wszystko wyglądało dokładnie tak samo jak wtedy, kiedy byłam tam po raz ostatni. W powietrzu czuło się silny zapach deszczu, ale widać było, że tu nie spadła ani kropla. Ścieżka była tak sucha, że spod stóp wzbijały mi się obłoczki kurzu.

Nie miałam zielonego pojęcia, jak to możliwe. Nie miałam też czasu się nad tym teraz zastanawiać. Bo wreszcie znalazłam się przy jarze. Klęłam samą siebie za to, że nie zabrałam latarki. W tym lesie było ciemno, kiedy niebo zakrywały burzowe chmury. Zbiegałam przez gęste poszycie, wypatrując potoku na dnie jaru. Wydało mi się, że ktoś jest tam na dole, ale nie mogłam być pewna...

I wtedy go zobaczyłam. Willa.

Ale nie siedział na swojej ulubionej skałce. Ani na niej nie stał. Leżał rozciągnięty na niej jak... ktoś martwy.

Rozdział 25

Popod wieżami, balkonami
Ogrodów murem, galeriami
Blada jak śmierć szła w dół z falami.
Cicha łódź mknęła pod domami
Aż do samego Camelot.

Nie krzyknęłam.

I tak nie udałoby mi się wydobyć żadnego dźwięku z gardła. Za ciężko dyszałam po długim biegu.

Odkąd usłyszałam szczekanie Kawalera, za serce ściskał mnie zimny, paraliżujący strach. Starałam się go do siebie nie dopuścić, ale teraz szarpnął mną, odcinając dopływ krwi do wszelkich części mojego ciała.

Nie wiem, jak dotarłam na samo dno jaru. Chyba jakoś tam się zsunęłam. Wiem tylko, że kiedy dotarłam do skały Willa, nogi miałam pokryte krwawiącymi zadrapaniami od tych wszystkich jeżyn, przez które musiałam się przedrzeć, chociaż wcale tego nie czułam.

Patrzyłam, jak leżał tam z zamkniętymi oczami, ale nie potrafiłam dostrzec, czy jeszcze oddycha. Nie widziałam też krwi. Musiał słyszeć, że się zbliżam, a przecież ani drgnął...

Nogi mi się trzęsły. Zupełnie tego nie kontrolowałam. Po pierwsze, drżały z emocji. Po drugie, poddałam je właśnie niezłemu testowi na wytrzymałość. Obeszłam głaz i odłożyłam na bok miecz, nadal porządnie owinięty wiatrówką taty.

Potem postawiłam stopę na jednym ze stopni, których używałam, żeby wspiąć się na głaz poprzednim razem...

I nagle zobaczyłam nad sobą twarz Willa.

– Elle. – Sięgnął ręką, żeby zdjąć słuchawki, które miał na uszach. – Przyszłaś. Wiedziałem, że przyjdziesz.

A potem złapał moją dłoń i podciągnął mnie na szczyt głazu...

Kompletnie straciłam panowanie nad sobą. Nogi zamieniły mi się w galaretę. Cała ta krew, która przed paroma sekundami zdawała się zmrożona w moich żyłach, topniała pod jego dotykiem. Czułam, że nie mam siły nawet stać.

Will musiał to dostrzec, bo kiedy ugięły się pode mną kolana, powiedział:

– Hej...

A potem puścił moją rękę, zamiast tego obejmując mnie w talii. Nadal się chwiałam, więc przytrzymał mnie przy sobie ze śmiechem. Zamilkł, gdy nasze ciała się zetknęły, a ja oparłam dłonie płasko o jego klatkę piersiową.

Wtedy znów powiedział:

– Hej...

Ale zupełnie innym, o wiele bardziej miękkim tonem.

Wpatrując się w jego oczy, błękitne jak woda w basenie, tylko o centymetry od moich całkiem zwyczajnych brązowych oczu, wreszcie odzyskałam głos.

– Myślałam, że nie żyjesz – szepnęłam chrapliwie.

– Jestem od tego jak najdalszy – odszepnął.

I wtedy mnie pocałował.

Moje ramiona i nogi już nie sprawiały wrażenia galarety. Poczułam, jakby mnie przeszedł prąd, jakby naprawdę trafił we mnie piorun... tylko przyjemniej. O wiele, wiele przyjemniej. Bo nie da się pioruna objąć ramionami. Ani poczuć, jak jego serce mocno uderza obok twojego. Skosztować smaku kawy, którą musiał przedtem wypić, poczuć świeżego, przyjemnego zapachu jego koszuli. Ja przy Willu mogłam zrobić to wszystko i zrobiłam...

...włącznie z tym, że przytuliłam się do niego jak najmocniej, i to nie tylko dlatego, że było mi zimno po tym całym deszczu. Chciałam udowodnić sobie, że on żyje. Żyje.

I mnie całuje.

I chyba mu się to całowanie podoba. Bardzo, bardzo podoba.

– Dlaczego nie robiliśmy tego nigdy wcześniej? – zapytał Will, kiedy wreszcie przestał mnie całować i stanął z czołem przytulonym do mojego czoła.

– Bo już miałeś dziewczynę – przypomniałam mu. Byłam zaskoczona, że jeszcze jestem w stanie mówić. Po takim pocałunku spodziewałabym się, że stracę mowę na dobre. Jeszcze mnie po nim usta paliły.

– Ach tak. – Nadal mnie tulił. A potem uniósł głowę. – Hej. Ty drżysz. – Potarł dłońmi moje ramiona. – Nic dziwnego. Cała przemokłaś. Jakim cudem tak zmokłaś?

– Bo padało – powiedziałam. I jakby na dowód moich słów nad naszymi głowami rozległ się złowrogi grzmot.

– Nie tutaj.

– Najwyraźniej.

– Ale jak to możliwe? – Puścił mnie, ale tylko na moment, pochylając się po dżinsową kurtkę, która leżała obok jego iPoda. Zarzucił mi ją na ramiona, a potem znów przyciągnął mnie do siebie. – Słuchaj. Przykro mi z powodu tego, co tam zaszło. W szkole. Z Markiem. To było nieprzyjemne.

– Tak. – Uwielbiałam to uczucie, kiedy mnie obejmował. – Było. Mnie... też jest przykro.

– Tobie za nic nie powinno być przykro – powiedział. – Ty nic nie zrobiłaś. Mógłbym go zabić za to, jak cię popchnął.

– Tak – powtórzyłam. – Will, co do Marca... – Przełknęłam ślinę, a potem położyłam mu obie dłonie na ramionach i odepchnęłam go leciutko, żeby móc mu spojrzeć w twarz. Była tak przystojna jak zawsze, a jego jasnobłękitne oczy ocieniały gęste, ciemne rzęsy.

– Co? – spytał, patrząc na mnie w dół. – On nie... Nie spotykał się z tobą potem, prawda? Zgubiłem go przed szkołą.

Jeździłem po okolicy i szukałem go, ale nie udało mi się go znaleźć. Nie chciałem wracać do domu. – W tym momencie odwrócił ode mnie spojrzenie. – Próbowałem parę razy zadzwonić do ciebie, ale wszystkie linie były ciągle zajęte. Chciałem nawet podjechać, ale po tym, co się stało, nie byłem pewien...

Złapałam jego twarz obiema dłońmi i obróciłam ją ku sobie, żeby musiał mi spojrzeć w oczy.

– Chyba nie mówisz poważnie – powiedziałam. – Myślisz, że nie chciałabym cię widzieć? Tylko ze względu na to, co stało się w szkole?

Znów przeleciał mu po twarzy ten cień. Ale przynajmniej nie rozluźnił uścisku otaczających mnie ramion.

– Do tej pory pewnie już się rozniosło po całym mieście – stwierdził.

– Will, twoja mama do mnie dzwoniła. Naprawdę się martwi...

Wtedy mnie puścił. Obrócił się do mnie plecami, przeciągając dłonią po swoich ciemnych włosach.

– Posłuchaj – powiedział gdzieś w stronę drzew. – Ja po prostu potrzebuję trochę czasu gdzieś z dala od niej. I od taty. Żeby wszystko przemyśleć. – Znów popatrzył na mnie z nieco cierpką miną. – Niecodziennie facet się dowiaduje, że jego matka wcale nie umarła, wiesz.

– Wiem – znów powiedziałam. – Nie dlatego dzwoniła.

Skrzywił się.

– Wiem, czemu dzwoniła. Chodzi o Marca, tak?

Pokiwałam głową, nie ufając głosowi na tyle, żeby coś powiedzieć. Nad naszymi głowami znów rozległ się grzmot.

Will westchnął.

– A co Marco zrobił tym razem? – Uśmiechał się, ale nie tak, jakby temat rozmowy bardzo go rozbawił. – Rozbił land cruisera? Opróżnił barek ojca? Nie, to wszystko już zaliczył. Poza tym nic z tego mnie nie dotyczy, a on mnie za to wszystko wini. Och, zaczekaj, wiem. Wziął „Pride Winn" i wpakował jacht na mieliznę.

– Nie – powiedziałam i z trudem przełknęłam ślinę. – Ukradł jeden z rewolwerów twojego taty. I moim zdaniem będzie próbował cię zabić.

Rozdział 26

Dziób łodzi drogę znalazł już
Obok pól i wierzbowych wzgórz.
Ostatnią pieśń słyszano tuż
Pani na Shalott.

Niemożliwe – powiedział bezbarwnym tonem.

– Will.

Poczułam się okropnie. Po ożywieniu, w jakie wprawiły mnie jego pocałunki, ogarnęło mnie przygnębienie. Zupełnie jakby tamto nigdy nie miało miejsca. Czy ja sobie tylko wyobraziłam, że mnie całował? Wszystko, co stało się w ciągu minionej godziny, było jak sen, od początku burzy do... No cóż, aż do teraz.

– To nie niemożliwe – powiedziałam. – Ktoś się włamał do szafki z bronią twojego ojca, a Marco nadal się nie znalazł. Wiem, że ty nie zabrałeś rewolweru. Kto jeszcze mógł to zrobić?

– Och, wierzę w to, że Marco wziął rewolwer – zapewnił mnie Will. – Ale zabić mnie? Jean, to znaczy mama, trochę przesadnie reaguje. Marco nie jest zabójcą.

Dokładnie coś takiego powiedziałam do pana Mortona. Zanim dowiedziałam się reszty.

– Will. Ta sprawa może być nieco bardziej skomplikowana, niż ci się wydaje.

– Bardziej skomplikowana niż to, że moja mama urodziła mnie, kiedy jej mąż stacjonował za granicą, i oddała mnie mojemu ojcu, żeby jej mąż nie dowiedział się o jej niewierności? Bardziej skomplikowana niż to, że przez całe życie słyszałem, że moja matka nie żyje, aż do dzisiaj, kiedy mówią mi, że jest kobietą, z którą ożenił się mój ojciec, po tym jak awansował do rangi dość wysokiej, że mógł wysłać swojego najlepszego przyjaciela, a jej męża, na pewną śmierć? – Śmiech Willa był pozbawiony radości. – Wierz mi, Elle. Z grubsza się w tym orientuję.

– Tak – powiedziałam. – Co do tej sprawy. Muszę ci coś powiedzieć, chociaż to może zabrzmieć nieco dziwnie. Pamiętasz, jak mówiłeś mi, że czasami zdarza ci się mieć takie uczucie, jakbyś już był tu wcześniej? No cóż, jest taka grupa ludzi, która wierzy, że rzeczywiście...

– Ale dlaczego on chciałby mnie zabić? – przerwał mi Will, chodząc tam i z powrotem po całej długości głazu. Ponad naszymi głowami na jego pytanie odpowiedział kolejny głośny grzmot. – To mój tata to zrobił. Nie ja. Ja nie miałem z tym nic wspólnego.

– Tak – potwierdziłam. – No cóż, widzisz, pamiętasz, jak Marco zaatakował pana Mortona w zeszłym roku? Okazuje się...

– I przecież mój tata nie zrobił tego specjalnie – ciągnął Will. – To znaczy, owszem, wysłał faceta na niebezpieczną placówkę. Ale to nie tak, że sam zestrzelił ten helikopter. Znaleźli się pod ostrzałem wroga. To się mogło zdarzyć każdemu.

– Will – powiedziałam, wyciągając rękę i łapiąc go za ramię, żeby wreszcie przystanął. – Nieważne dlaczego. Faktem jest, że Marco chce cię zabić. A teraz, nie sądzisz, że powinniśmy stąd iść, w razie gdyby miał się tu pojawić?

– Tutaj? – Will uniósł ze zdziwieniem ciemne brwi. – Ale on nawet nie wie o tym miejscu. Nigdy go tu nie zabrałem i nawet mu o nim nie wspominałem.

– A to spotkanie dzisiaj z panem Mortonem i twoją mamą? – spytałam. – Czy o tym ktoś mu powiedział? Czy zjawił się tam zupełnie bez powodu?

– Nie, nikt mu nie powiedział. On... – Wyraz twarzy Willa zmienił się, wściekłość zastąpiło zmieszanie, kiedy opuścił na mnie oczy. – Skąd on się dowiedział o tym spotkaniu? Chyba że... Musiał podsłuchiwać z drugiego telefonu, kiedy pan Morton zadzwonił.

– Racja – powiedziałam. – Albo... No cóż, jest jeszcze inne wyjaśnienie.

Will uniósł kącik warg w uśmiechu.

– Jakie? Percepcja pozazmysłowa?

– Może kierują nim siły Ciemności.

Powiedziałam to szybko, zanim zdążyłam się nad tym zastanowić. Nadal w to nie wierzyłam. A przynajmniej nie do końca. Ale pomyślałam, że muszę go uczciwie ostrzec, skoro pan Morton ewidentnie to zaniedbał. I nie mogę niczego ukrywać.

Ale zamiast mnie wyśmiać czy w jakiś inny sposób zlekceważyć moje słowa, jak się tego na wpół spodziewałam, Will spojrzał na mnie z jeszcze większym skupieniem.

– Co miałaś na myśli przed chwilą, kiedy mówiłaś, że mi się czasem wydaje, że już tu byłem? – zapytał. – I o co chodzi z tą grupą ludzi, którzy wierzą... w coś?

– Wiesz co? – Złapałam go za ramiona mocniej niż poprzednio. – To długa historia i istnieje spora szansa, że nawet nie jest prawdziwa. Ale prawdziwa czy nie, nadal uważam, że powinniśmy stąd pójść. Choćby po to, żeby nie sterczeć na deszczu, jeśli już nie po to, żeby uciec przed Markiem.

Will podniósł oczy na wciąż ciemniejące zwały chmur nad naszymi głowami. Widzieliśmy jedynie ich skrawki przez wierzchołki drzew. Dziwne, że padało wszędzie w okolicy, tylko nie tutaj.

Nie tylko dziwne, niepokojące.

– Dobra – zgodził się i razem ze mną zaczął schodzić z głazu. – Dokąd chcesz jechać?

Znikąd zabrzmiał czyjś głęboki głos:

– Sugerowałbym Tahiti.

Zamarłam. Krew przedtem stopniałą pod pocałunkami Willa, teraz znów mi zmroziło.

Bo rozpoznałam ten głos. Wiedziałam kto to, zanim jeszcze obróciłam się i go zobaczyłam. Stał na dnie strumyka i z brzydkiego, ciemnego rewolweru celował prosto w środek klatki piersiowej Willa.

– Słyszałem, że wyspy polinezyjskie są urocze o tej porze roku – powiedział Marco swobodnym tonem.

Dwaj bracia wpatrywali się w siebie. Marco na dole, w żlebie strumyka i Will na szczycie głazu. Było tak cicho, że słyszałam ich oddechy. Przynajmniej dopóki błyskawica nie przecięła nieba nad naszymi głowami. Podskoczyłam – jeszcze zanim wszystko aż po horyzont zalała jasną, szkarłatną czerwienią.

Rozległ się grzmot i czerwień znikła równie szybko, jak się pojawiła.

– Elle – odezwał się Will w nagłej ciszy, która nastąpiła po tym pokazie niebiańskiej pirotechniki. Ani na chwilę nie odrywał oczu od Marca. – Idź do domu.

– Tak, Elaine. – Głos Marca ociekał złośliwością. – Biegnij do domu i jeszcze sobie popływaj. Tutaj nie masz nic do roboty.

Najeżyłam się. Wiedziałam, co Marco miał na myśli. Dla Elaine z Astolat nie było tu miejsca.

Nie przeszkadzało mi to. Nie byłam Elaine z Astolat, niezależnie od tego, co mu się mogło wydawać. A Elaine Harrison miała tu mnóstwo do zrobienia.

– Nigdzie nie idę – powiedziałam.

Marco udał, że jest wzruszony.

– Ach, jakie to słodkie – wycedził. – Ona zostanie i obroni swojego mężczyznę.

Ale Will tak nie uważał.

– Elle – powtórzył tym samym tonem, którego użył tamtego dnia wobec Ricka. Ten głos brzmiał, jakby mógł należeć do króla. Był przepełniony oburzeniem, że jego wola nie została spełniona. – Wracaj do domu. Spotkamy się tam później.

– Nie, nie spotkacie się, Will – oświadczył Marco. – To dlatego ona się stawia. Wie równie dobrze jak ja, że już z nikim się później nie spotkasz.

Kolejna błyskawica. Niebo znów się czerwieni. A potem, równie nagle, grzmot zmienia jego kolor na szary.

– Marco – powiedział Will. – To jakaś głupota. Nie chcesz tego zrobić.

– I widzisz, tutaj się mylisz – odparł Marco. – Czekałem na to od bardzo, bardzo dawna. Myślisz, że nie mam dosyć tego, co się dzieje w domu? Nie możesz być bardziej podobny do Willa? Popatrz na Willa, on nie zawalił klasy. Zobacz, on nie rozwalił samochodu. On się nie zrywa z lekcji, żeby się upalić za Dairy Queen. To Złoty Chłopiec. Rozgrywający w szkolnej drużynie. Pan Średnia Pięć Zero, król balu maturalnego. Wiesz, ja nigdy nie rozumiałem. Nie mogłem pojąć, dlaczego mama zawsze wykłuwa mi tobą oczy. Aż do teraz. – Odbezpieczył rewolwer.

– A potem – ciągnął swobodnie, jakbyśmy wszyscy troje wpadli na siebie gdzieś w Storm Brothers – wyszła za mąż za twojego tatę. Jaki ze mnie szczęściarz! Teraz mogę sobie z tobą jeszcze i mieszkać! Tak, z bliska mogę się przekonać, jaki mógłbym być, gdybym się tylko bardziej postarał. I jakby tego było jeszcze mało, wiesz co? Okazuje się, że jesteśmy braćmi! Tak, braćmi! Jakbym już wcześniej nie czuł się wystarczająco niedoskonały. Teraz jeszcze mam się uporać z faktem, że łączy nas pokaźna ilość DNA. Aha, i to, że twój tata posuwał moją mamę za plecami mojego ojca? Tak, też ładnie.

– Marco – powiedział Will niskim, spokojnym głosem. – Nasi rodzice są popieprzeni, okay? Ale my nie musimy z tego powodu walczyć ze sobą.

– Doprawdy? – Marco roześmiał się bez śladu wesołości. – Jej, jakie to z twojej strony wspaniałomyślne, Will. Biorąc pod uwagę, że to nie mój tata zabił twojego, tylko odwrotnie. Myślę, że tylko w jeden sposób możemy wyrównać rachunki. Oko za oko.

– Jeśli chcesz takiej sprawiedliwości, Marco – powiedziałam drżącym głosem – to zabij ojca Willa, a nie jego samego.

Will rzucił mi spojrzenie z gatunku: „Nie wtrącaj się do tego". Ale było mi wszystko jedno.

– Myślałem o tym – przyznał Marco. – Rzecz w tym, że chcę, żeby ten stary drań cierpiał. A co go może zranić bardziej niż świadomość, że jego złoty chłopiec zginął z powodu czegoś, co on sam zrobił przed laty? Będzie musiał z tym żyć do samego końca, zupełnie tak samo, jak ja będę musiał żyć z myślą o moim ojcu.

– Ale po co, Marco? – spytał Will. – To nie przywróci życia twojemu tacie.

– Nie – odparł Marco głosem, który brzmiał całkiem rozsądnie i miło. – Nie przywróci. Ale sprawi, że poczuję się o wiele lepiej.

– Siedząc w więzieniu? – Will miał równie spokojny głos. Jeśli się bał, to tego po sobie nie okazywał. Stał prosto i nieruchomo, a głos ani trochę mu nie drżał. Wyglądał niemal, no cóż, jak król.

I najwyraźniej nie byłam jedyną osobą, która to zauważyła. Marco nie mógł od niego oczu oderwać.

Świetnie, to mi dało okazję, żeby ześlizgnąć się po krawędzi głazu i sięgnąć po miecz, który zostawiłam u jego podstawy.

– Pójdę do więzienia tylko, jeżeli mnie złapią – mówił Marco. – A ja nie planuję takiego rozwiązania.

– Och, racja – stwierdził Will ze śmiechem. – A co masz zamiar zrobić, zwiać? Nawet nie masz kasy. Wszystko wydałeś na tę swoją głupią corvettę. A przy okazji, mam nadzieję, że nie zamierzasz uciekać tym samochodem. Dojedziesz najwyżej do Bay Bridge, zanim gliny cię złapią. Już cię szukają po tym numerze, jaki wyciąłeś w szkole.

Nie mogłam zobaczyć miny Marca, bo byłam zajęta odwijaniem miecza z wiatrówki. Ale odezwał się z tym samym chłodnym brakiem zainteresowania, co zwykle.

– No to wezmę twój samochód – powiedział. – I gotówkę, którą ci wyjmę z portfela, kiedy już będziesz martwy. A teraz złaź stamtąd. Od patrzenia w górę boli mnie kark.

– Masz problemy, Marco. – Will nadal mówił naturalnie spokojnym tonem. – Potrzebujesz pomocy. Odłóż ten rewolwer i wtedy o tym pogadamy.

– Za późno na gadanie. – Marco zaczynał tracić panowanie nad sobą. Podniósł głos nie tylko dlatego, że nad nami grzmoty przewalały się jeszcze głośniej i bardziej złowieszczo. – Złaź z tej skały, Will, albo strzelę w głowę tej twojej dziewczynie. W ogóle co ona tam znów robi? Hej! Nenufarowa panienko! Złaź z tej skały. Ja nie żartuję. Przestrzelę go na wylot, przysięgam.

Wdrapałam się z powrotem na szczyt głazu, za sobą ciągnąc miecz taty. Nikt go chyba nie zauważył.

– Marco. – Will szeroko rozłożył ręce, starając się trafić do chłopaka. Jakby to w ogóle było możliwe. – Daj spokój. Jesteśmy braćmi.

– Ach, ten znowu swoje. – W głosie Marca pojawiło się prawdziwe rozczarowanie. – Dlaczego musisz mi ciągle o tym przypominać? Teraz po prostu będę musiał cię zastrzelić. A miałem zamiar zaczekać i najpierw zastrzelić tę twoją dziewczynę, żebyś musiał na to popatrzeć.

I uniósł rewolwer, przymykając jedno oko i mierząc do strzału.

– No, co zrobić…

– Will! – krzyknęłam. – Tutaj!

A kiedy Will spojrzał w moją stronę, rzuciłam mu miecz rękojeścią naprzód.

Rozdział 27

Przy łodzi wnet na brzegu stali
Rycerze, damy, ludzie mali,
Na dziobie imię odczytali:
Pani na Shalott.

Wystrzelił rewolwer, stłumiony dźwięk w gęsto zarośniętym jarze, Will prawie go nie zauważył. Kula przeszyła powietrze obok jego głowy, nie robiąc mu żadnej krzywdy, bo pochylił się, żeby ująć miecz. Spojrzał na to, co mu wręczyłam, a na jego twarzy pojawiła się dezorientacja.

– Miecz? – Uniósł ostrze w górę, nadal przyglądając mu się ze zmieszaniem, jakby chciał zapytać: „I niby jak to coś ma mi pomóc?"

Miał rację. No bo na co się przyda miecz przeciwko rewolwerowi...

Tyle że kiedy Will zacisnął palce na rękojeści, coś się zmieniło. Nie mogłam tego określić.

Może dlatego, że zmieniło się dokładnie wszystko. Zupełnie tak, jakby ktoś nacisnął przycisk automatycznego zbliżenia, patrząc na cały świat.

Bo nagle wszystko wydało się jaśniejsze, ostrzejsze, bardziej kolorowe. Mroczne cienie pod korzeniami drzew i u podstawy głazów stały się ciemniejsze.

A zieleń liści nad naszymi głowami wydała się jeszcze zieleńsza.

Miecz w dłoniach Willa zdawał się autentycznie błyszczeć, a rdza na jego powierzchni wcale nie rzucała się w oczy tak jak chwilę wcześniej.

Wtedy zobaczyłam, że niebo nad nami zaczyna się przejaśniać. Ciężkie czarne chmury odsuwały się, odsłaniając różowo-lawendowy zachód słońca.

A więc to dlatego. To znaczy, dlatego w chwili, kiedy palce Willa zacisnęły się na rękojeści miecza, wszystko nagle wydało się takie jasne.

Chociaż nie wyjaśniało to do końca, dlaczego sam Will wydał się wyższy, a jego włosy bardziej błyszczące i ciemniejsze niż kiedykolwiek. Jego ramiona wydawały się szersze, jego błękitne oczy jaśniejsze. Zupełnie jakby biło od niego jakieś wewnętrzne światło.

Potrząsnęłam głową. Nie, to niemożliwe. To tylko burza mijała. Albo moja miłość sprawiła, że wydawał mi się jeszcze przystojniejszy.

Ale to nie wyjaśniało reakcji Marca, kiedy Will znów zwrócił się do niego twarzą, trzymając przed sobą miecz tak naturalnym gestem, jakby nic innego nie robił przez całe życie.

– Odłóż broń, Marco – powiedział Will głosem, który jak wszystko dokoła nas nieco się różnił od tego, co zwykle. Był głębszy i pewniejszy siebie. Bardziej królewski niż zwykle, co przyznałam niechętnie.

Marco, z twarzą równie białą jak koszulka bez rękawów, którą miał na sobie, opadł na jedno kolano, zupełnie tak, jakby nogi się pod nim ugięły.

Albo jakby nagle zrozumiał, kim jest ten, przed którym wymachiwał rewolwerem.

– N-nie – wystękał.

Stanęłam u boku Willa. Marco wreszcie podniósł głowę i spiorunował mnie spojrzeniem. Było pełne nienawiści, tak jak przedtem, ale znalazłam w nim także coś, czego wcześniej nie widziałam...

Lęk.

– Ty nie jesteś Panią z Shalott – sapnął.

Pokręciłam głową. Wszystko to było zupełnie bez sensu. A jednak, w jakiś dziwny sposób, miało sens.

– Nigdy nie mówiłam, że jestem – przypomniałam mu.

– Odłożę miecz, kiedy ty odłożysz rewolwer, Marco – powiedział Will tym samym pewnym siebie głosem. – A potem to omówimy, jak bracia.

– Bracia! – powtórzył Marco z goryczą. – A potem znów skierował w moją stronę rewolwer i spojrzenie. – Po co mu dałaś ten miecz?! – krzyknął. – Tylko jedna osoba może mu dać miecz. I to nie jesteś ty. To nie możesz być ty! To niemożliwe! Tylko ci z najbliższego otoczenia Artura mogą położyć kres panowaniu ciemnych mocy.

– Odłóż broń, Marco – prosił Will. – Teraz, zanim ktoś zostanie ranny.

Zobaczyłam, że uścisk palców Marca na rękojeści broni słabnie. Zupełnie jakby nie mógł nie zrobić tego, co mu kazał Will.

To działało. Poddawał się.

Wtedy w lesie za jego plecami trzasnął błękitny piorun. Sekundę później Marco leżał na plecach na dnie jaru, a na nim okrakiem siedział Lance Reynolds. Lance zacisnął palce na dłoni, która ściskała rewolwer... Ale Marco wypuścił go z ręki, zanim Lance w ogóle zdołał go uderzyć.

– Will powiedział, żebyś rzucił... – Lance wyłuskał rewolwer z dłoni Marca. Zobaczył, że ten leży bezsilnie na stercie gałęzi, i zrobił skołowaną minę. – Och, dobra. No cóż...

Sekundę później Jennifer, uważnie stawiając kroki, zeszła na dół. Popatrzyła na Lance'a i Marca, a potem na Willa i na mnie.

– Dobrze – powiedziała swoim jasnym, pełnym zadowolenia głosem. – Zdążyliśmy na czas. Widzisz, Lance? Mówiłam ci, że tu będą.

Obok mnie Will powoli opuścił miecz, patrząc na niego tak, jakby dopiero co zorientował się, że ma go w ręce.

A potem, zupełnie otumaniony, spojrzał na mnie. Zobaczyłam, że jego klatka piersiowa unosi się i opada, zupełnie jakby przed chwilą przebiegł ze trzy kilometry w bardzo trudnym terenie.

A potem, zanim się zorientowałam, objął mnie ramieniem i przyciągnął do siebie.

– Dziękuję – szepnął mi prosto w wilgotne włosy.

– Nic nie zrobiłam – odszepnęłam.

– Owszem, zrobiłaś. – Przyciągnął mnie bliżej.

Usłyszeliśmy jasny głosik Jennifer.

– Och, popatrz, Lance! Nie mówiłam ci, że oni ślicznie razem wyglądają?

Ale po chwili głos jej się zmienił.

– Zaraz. A co on tu robi?

Podniosłam oczy i zobaczyłam pana Mortona, który z trudem schodził do nas na dół po zboczu jaru. Za nim szło kilku funkcjonariuszy miejskiej policji Annapolis.

Rozdział 28

Któż to? Po cóż ją tu przysłali?
I w pełnej świec zamkowej sali
Umilkły dźwięki dworskiej gali.
I wnet się z lękiem przeżegnali
Wszyscy rycerze Camelot.

Myślałam, że jedzie pan na Tahiti – powiedziałam oskarżycielskim tonem.

– Ellie – odezwała się mama ostrzegawczo.

– No cóż, tak mi powiedział.

Spiorunowałam wzrokiem pana Mortona ze swojego miejsca na kanapie, gdzie siedziałam owinięta kocem, chociaż przebrałam się już z mokrych rzeczy w swoją najstarszą flanelową piżamę i wypiłam chyba z litr gorącej czekolady. Nadal nie mogłam się rozgrzać, chociaż burza już się skończyła, a nocne powietrze miało względnie przyjemną temperaturę szesnastu stopni.

Pan Morton rzucił tacie przepraszające spojrzenie.

– Rzeczywiście powiedziałem jej, że wyjeżdżam na Tahiti. – Wyglądał bardzo dziwnie w naszym salonie. Chyba nigdy nie przyzwyczaję się do widoku nauczycieli poza szkołą. – To była z mojej strony niewiarygodna arogancja. Widzi pan, w najśmielszych snach nie przypuszczałem, że…

– Po co zmusił pan mamę Willa, żeby mu powiedziała prawdę? Niby jak to miało mu pomóc? – zapytałam ostro.

– Ellie – znów powtórzyła mama.

Zignorowałam ją.

– To tylko wszystko pogorszyło – zaperzyłam się. – Musiał pan wiedzieć, że Marco jakoś to odkryje.

– Oczywiście, oczywiście – przytaknął pan Morton. Przed nim stała nietknięta filiżanka. Z wdzięcznością przyjął zaproponowaną mu przez rodziców herbatę, kiedy wszedł przez nasze drzwi frontowe, zaledwie parę minut po tym, jak rodzice i ja wróciliśmy z komisariatu. No właśnie. Moi rodzice przebrnęli wreszcie przez okropne korki na obwodnicy i dotarli do naszego domu tylko po to, żeby na automatycznej sekretarce (telefon i elektryczność włączono zaledwie parę minut przed ich powrotem do domu) znaleźć wiadomość z prośbą, żeby mnie odebrali z komisariatu policji.

O dziwo, wcale się o to nie wściekali.

Kiedy po mnie przyjechali, dygotałam w przemoczonych ciuchach, przed gabinetem, w którym składałam zeznania. Will nadal siedział w środku. Nie byłam pewna, czy to mokre ubranie przyprawiło mnie o dreszcze, czy raczej fakt, że musiałam tam siedzieć pod kamiennym i bezlitosnym spojrzeniem admirała Wagnera. Oboje z żoną pojawili się na komisariacie zaraz po tym, jak Marco wykonał przysługujący mu jeden telefon i zadzwonił... no właśnie. Do nich.

Co było dość ironiczne, jeśli wziąć pod uwagę, że pół godziny wcześniej tak bardzo pragnął zrujnować im życie.

W każdym razie Lipton, który zaparzyła mama dla pana Mortona, najwyraźniej nie spełniał jego wygórowanych oczekiwań, bo stojąca przed nim herbata zdążyła już wystygnąć.

– Ale kiedy wyszłaś z mojego mieszkania dzisiaj po południu – wyznał pan Morton – nie mogłem przestać myśleć o tym, co powiedziałaś, Elaine. O tym, że Artur nigdy by mnie nie zostawił na śmierć tak, jak ja go zostawiałem. Nie możesz sobie nawet wyobrazić, jaki wpływ miały na mnie te słowa. Widzisz, przez całe moje życie nauczałem wartości, które przekazał nam Niedźwiedź. Aż nagle okazało się, że zachowuję się równie tchórzliwie jak Mordred. Pomyślałem, że może jeśli uda mi się wyjaśnić pewne sprawy w kręgu rodziny Artura, to pojawi się jakaś szansa na to, żeby wszyscy pogodzili się z sytuacją i ze sobą nawzajem...

– I że przerwą ten cykl – wtrąciła gorliwie moja mama.

Mogłam tylko przewrócić oczami. Oto pan Morton, prawdziwy członek Zakonu Niedźwiedzia, pojawił się na progu naszego domu. Dla mojej mamy było to ucieleśnienie jej marzeń. Od chwili, kiedy wszedł do środka i przedstawił się moim rodzicom, spijała facetowi z ust każde słowo.

– Ale powinienem był wiedzieć, że moce Ciemności nigdy na to nie pozwolą – ciągnął pan Morton. – W jakiś sposób musiały powiadomić Marca, że coś się dzieje w szkole; w ostatnim miejscu, w którym spodziewałbym się go zobaczyć... Choćby dlatego, że miał sądowy zakaz zbliżania się do terenu szkoły.

– Skąd pan wiedział, że będziemy w arboretum?

– Całkiem proste, naprawdę – powiedział pan Morton. – Błyskawice.

– Błyskawice? – Gapiłam się na niego. – O czym pan mówi?

– Pewnie tego nie zauważyłaś, ale pioruny uderzały na niezwykle małym obszarze... A konkretnie, pomiędzy tym domem a parkiem. Wystarczyło iść za błyskawicami, żeby odnaleźć Niedźwiedzia. Pioruny to, oczywiście, broń Zła.

O mało się nie zakrztusiłam swoją czwartą filiżanką gorącej czekolady. Zerknęłam na rodziców, żeby się przekonać, czy wierzą w te brednie. Mama wyglądała na całkowicie pochłoniętą opowieścią pana Mortona. Wiedziałam, że korci ją, żeby iść do gabinetu i natychmiast porobić notatki z tego wszystkiego do swojej książki. Tata też wcale nie miał niedowierzającej miny.

A oboje mają doktoraty, sami pomyślcie.

– Nie rozumiem jednak – odezwał się tata – dlaczego ten miecz miał taki wpływ na Marca. I na Willa też, jeśli to, co pan nam opisuje, jest prawdą. Ten miecz nawet nie pochodzi z właściwego okresu, żeby móc być Ekskaliburem. O ile mogę to stwierdzić, jedyny król, do którego ewentualnie mógł należeć, to Ryszard Lwie Serce, ale...

– Och, nie sam miecz był istotny – powiedział pogodnie pan Morton. – Ważniejsza była osoba, która mu go wręczyła.

Głowy dorosłych zwróciły się w moją stronę. Popatrzyłam na nich, mrugając powiekami.

– Co? – odezwałam się mało inteligentnie.

– Nie mów: „co?", Ellie, tylko: „słucham?" – skarciła mnie mama.

– Mamo, nic mnie teraz nie obchodzi wizerunek – zirytowałam się. – Dlaczego się na mnie gapicie?

– Źle cię potraktowałem, Ellie – powiedział pan Morton swoim niskim, dudniącym głosem. – Wcale cię nie winię za to, że się na mnie rozzłościłaś. Niesłusznie założyłem, że jesteś Elaine z Astolat, kiedy dowiedziałem się, jak się nazywasz, i że masz jakiś związek z Niedźwiedziem. Ale oczywiście, ty nigdy nie byłaś Panią z Shalott.

– Wiem – powiedziałam ze zniecierpliwieniem. – Mówiłam to panu od samego początku.

– Powinienem był dostrzec, że jesteś kimś o wiele, wiele ważniejszym – ciągnął pan Morton. – I potężniejszym. Chociaż na własną obronę muszę dodać, iż nigdy w historii zakonu nie zanotowano pojawienia się Pani Jeziora...

Popatrzyłam na niego z pewnym niepokojem.

– Zaraz, momencik – przerwałam. – Pani czego?

– Pani Jeziora – powtórzył pan Morton. – Dlatego uważam, że mój błąd jest wybaczalny. Pani Jeziora, wybacz mi, Elaine, jest niejasną postacią legendy arturiańskiej.

– Absolutnie – zgodziła się moja mama. – Niektórzy uczeni uważają, że ona nigdy nie istniała, inni twierdzą, że była celtycką boginką. Większość zgadza się, że mogła być co najmniej potężną kapłanką...

– Moją jedyną pociechą – dodał pan Morton, kiwając głową – jest to, że siły Ciemności również wzięły omyłkowo pani córkę za Panią Nenufarów. Gdyby wiedzieli, że mają do czynienia z kimś tak potężnym jak Pani Jeziora, na pewno spróbowaliby wyeliminować ją wcześniej. Nawet Marco, gdy usłyszał jak ma na imię, powiązał to z jej upodobaniem do...

– Pływania na materacu. – Przełknęłam ślinę. – Mamo, tato, przecież to niemożliwe, żebyście wierzyli w te... bzdury.

Ale moi rodzice popatrzyli na mnie spojrzeniem w rodzaju: „Chyba sobie żartujesz". Nabrali się na to od początku do końca. Co, biorąc pod uwagę, jak rzadko w ogóle wychodzą z domu, nie powinno być znów takie zaskakujące.

– Och, co do tego nie ma wątpliwości, Elaine – powiedział pan Morton z uśmiechem. – Rozumiem, że trochę potrwa, zanim się przyzwyczaisz do tej myśli. Ale nie sposób zaprzeczyć temu, że istotnie jesteś reinkarnacją Pani Jeziora. To ona dała Arturowi broń, za pomocą której bronił siebie i swojego królestwa. I tylko ona mogła zapobiec zniszczeniu jego przyjaźni z Lancelotem i Ginewrą, co by go uczyniło bezbronnym wobec ataków jego śmiertelnego wroga.

– Ja tego nie zrobiłam – zaprotestowałam. – Ja tylko podsunęłam Willowi myśl, że lepiej będzie, jeśli powie Jennifer, że nie przeszkadza mu jej związek z Lance'em... No wiecie, żeby ludzie nie chodzili przekonani, że on się tak bardzo tym wszystkim przejmuje, skoro wcale się nie przejmował...

– Już mówiłem – pan Morton uśmiechnął się do moich rodziców – że macie państwo mądrą córkę.

Mama rozpromieniła się skromną dumą i spojrzała na niego.

– Zawsze uważałam, że przeznaczone są jej wielkie rzeczy.

Miałam wrażenie, że dobrze byłoby zmienić temat, bo ten przyprawiał mnie o gęsią skórkę. Rzuciłam więc ogólne pytanie do wszystkich:

– A co się stanie z Markiem?

– Pójdzie do więzienia – powiedziała moja mama twardym głosem. Arturiańskie bzdety przyprawiały ją o uniesienie, ale ta historia z rewolwerem raczej nie. – Mam nadzieję, że będzie siedział do końca życia.

– Obawiam się, że tak długo to nie potrwa – stwierdził pan Morton. – W sumie nikogo przecież nie zabił. Ale kiedy wyjdzie z więzienia, powinien być zupełnie nieszkodliwy. Siły Ciemności opuściły go, kiedy Will nad nim zatriumfował.

O kurczę. Znów przewróciłam oczami.

– Biedny dzieciak – westchnął tata. – Nie miał łatwego życia.

– On chciał zastrzelić naszą córkę – przypomniała mu mama. – Wybacz, że się nad nim nie rozpłaczę.

– Odpowiednia terapia i resocjalizacja – powiedział rześko pan Morton – powinna szybko przynieść efekty.

Nie chciałam zadać następnego pytania, bo na pewno znów zaczną gadać o Pani Jeziora. Ale musiałam to wiedzieć. Nie widziałam go od chwili, kiedy policja nas rozdzieliła przed przesłuchaniem. Nie miałam pojęcia, co się z nim działo.

– A... Will?

– Niedźwiedź? – Pan Morton się zamyślił. – Tak, no cóż, Artur jest w tej chwili na rozdrożu. Zdradził go własny brat, to prawda. Ale zrobili to także jego rodzice. Ciekawie będzie zobaczyć...

– Willowi już przedtem nie układało się z tatą – przerwałam. – To znaczy, admirał Wagner zaplanował sobie, że Will pójdzie na uczelnię wojskową, ale on wcale tego nie chce. A teraz, kiedy wie, że ojciec go okłamywał przez ten cały czas w sprawie jego mamy, będzie miał chyba jeszcze mniejszą ochotę podporządkować się jego planom. I czy mógłby pan nie nazywać go Arturem? Bo przyprawia mnie to o prawdziwe dreszcze.

– Ach – powiedział pan Morton. – Tak, przepraszam. On wspominał mi coś o tym, to znaczy o ojcu, kiedy rozmawialiśmy na posterunku...

– Pan z nim rozmawiał?! – prawie wrzasnęłam. – Pan mu powiedział? O tej sprawie z królem Arturem i reinkarnacją?

– No cóż, oczywiście, że tak, Elaine. – Ton pana Mortona wydawał się dość cierpki jak na człowieka, który przed chwilą wmawiał mi, że jestem jakąś ważną kapłanką. – Przecież ma prawo znać własne pochodzenie.

– O Boże. – Schowałam twarz w dłoniach. – A co on powiedział?

– W sumie niewiele. Co chyba nie jest takie znów dziwne. Nie co dzień jakiś młody człowiek dowiaduje się, że jest wcieleniem jednego z największych przywódców wszech czasów.

Zdusiłam w dłoniach jęk.

– Zostanę tu, w Annapolis, oczywiście – ciągnął pan Morton – żeby nadal kierować jego krokami. A inni członkowie zakonu też się tu zgromadzą, żeby móc jak najlepiej zaspokoić jego potrzeby.

Widziałam, że moja mama z największym trudem powstrzymała się od klaskania w dłonie z radości na myśl o dziesiątkach członków Zakonu Niedźwiedzia zjeżdżających do Annapolis... W samą porę, żeby mogła z nimi przeprowadzić wywiady na potrzeby swojej książki.

– Uniwersytet to oczywiście kolejny krok w jego edukacji, ale to będzie musiał być odpowiedni uniwersytet. Przy stopniach Artura, przepraszam, Elaine, Willa, może oczywiście iść na dowolną uczelnię, ale pozostaje pytanie, która z nich jest naprawdę wskazana. W końcu będzie kształtować umysł człowieka, który może stać się jednym z najbardziej wpływowych liderów współczesnego świata?

Dzięki Bogu w tej chwili zabrzmiał dzwonek przy drzwiach.

Odrzuciłam koc i powiedziałam:

– Ja otworzę. – A potem poszłam zobaczyć kto to, mrucząc pod nosem: – Mam nadzieję, że to nie żadne siły Ciemności…

Na co pan Morton zawołał radośnie:

– Och, nie martw się. Wszystkie zostały unicestwione, dzięki tobie.

– Cudownie – stwierdziłam z ironią. I otworzyłam drzwi.

Za nimi stał Will. W jednej ręce miał sportową torbę, a w drugiej trzymał na smyczy, Kawalera.

Rozdział 29

Lancelot dumał: Być nie może
Piękniejszej twarzy na tym dworze.
Zmiłuj się w swej litości, Boże,
Nad Panią z Shalott.

Hej – przywitał się cicho, a jego oczy wydawały się jeszcze bardziej niebieskie niż zwykle w świetle na werandzie. Tak niebieskie, że rozpłynęłam się w nich, zanim jeszcze zdołałam wykrztusić słowo powitania.

– Hej – wychrypiałam.

Ćmy uderzały o drzwi, które przytrzymywałam, i usiłowały się dostać do środka. Za Willem pogrążony w mroku i zalany deszczem ogród napełniała orkiestra pasikoników i cykad.

– Przepraszam, że wpadam o tak późnej porze – powiedział Will. – Ale Kawaler i ja... Mamy nadzieję, że ktoś nas przechowa. Myślisz, że twoi rodzice mieliby coś przeciwko temu, żebyśmy tu przez kilka dni pokoczowali? Tylko dopóki nie znajdę własnego mieszkania. W domu jest... – Nieco mocniej ścisnął rączkę swojej sportowej torby. – Nie za dobrze.

Oddałabym mu własne łóżko, żeby tylko miał gdzie spać, i chętnie spałabym na podłodze. Ale nie przyznałam tego głośno. Nie pokazałam też po sobie tej niesamowitej ulgi, że nadal jest w Annapolis. Gdybym była na jego miejscu, nie jestem pewna, czy nie spakowałabym się i nie wyjechała z tego miasta. Na pewno nie chciałabym już nigdy więcej oglądać ludzi związanych z najbardziej bolesnymi chwilami mojego życia.

Zamiast tego powiedziałam tak swobodnie, jak tylko umiałam:

– Wchodź do środka. Zapytam mamę i tatę.

Weszli. Kawaler trzymał się blisko jego nóg.

– Kto to, Ellie? – zawołała mama z salonu.

Stojąc w ciemnym korytarzu, podniosłam oczy na Willa.

– Pan Morton tu jest – szepnęłam.

Will uśmiechnął się kącikiem ust. Nie wiedziałam, czy się z tego cieszy, czy wręcz odwrotnie.

– Nie jestem specjalnie zdziwiony.

– Mogę spróbować przemycić cię na górę – zaproponowałam.

– Nie. – Tym razem w uśmiechu uniosły się oba kąciki jego ust. – Królowie się nie skradają.

Szczęka mi opadła.

– Chyba mi nie powiesz, że wierzysz...

– Chodź, Harrison. – Ujął mnie za ramię i pociągnął z powrotem do salonu.

– Mhm, mamo, tato – powiedziałam – przyszedł Will.

Przez chwilę moi rodzice i pan Morton wpatrywali się w Willa jak w ducha. Potem panu Mortonowi udało się wreszcie otworzyć usta i wyszeptać, jakby mówił sam do siebie:

– Oczywiście. Oczywiście, że tu przyszedł.

Ignorując go, zwróciłam się do rodziców:

– Will potrzebuje noclegu na parę dni. Może się zatrzymać w pokoju Geoffa?

Mama spojrzała na Willa ze zmartwioną miną.

– Ojej – powiedziała.

A tata zapytał:

– Aż tak źle w domu, co?

Will, nadal trzymając sportową torbę, pokiwał głową. Kawaler, siedząc u jego stóp, obserwował Berka, który podniósł się na równe nogi i stał przy kominku z nastroszonym ogonem. Żadne ze zwierząt nie wydało z siebie głosu. Tylko obserwowały się nawzajem.

– Nie prosiłbym o to, proszę pana – powiedział Will do mojego taty – gdyby nie... No cóż, Jean... to znaczy moja mama... Z nią jest w porządku. To tata... Ja... – Will spojrzał na pana Mortona. – Rzecz w tym, proszę pana, że ja mu powiedziałem, że nie mam zamiaru w przyszłym roku pójść do Szkoły, a on się wściekł. Chyba wybrałem nie najlepszy moment, żeby mu to oznajmić, skoro Marco... jest teraz tam, gdzie jest. Ale czułem, że już najwyższa pora, żebyśmy wszyscy zaczęli być z sobą uczciwi. I... W skrócie? Tata wyrzucił mnie z domu. Miałem nadzieję, że będę się mógł tutaj zatrzymać, dopóki nie znajdę jakiegoś własnego mieszkania. Ale jeśli to jest jakiś kłopot...

– Oczywiście, że możesz tu zostać – powiedział tata ku mojej nieskończonej uldze. – Jak długo tylko będziesz chciał..

– Na pewno jesteś wykończony. – Mama westchnęła, podnosząc się z kanapy. – Sama padam z nóg, a nie przeszłam dzisiaj nawet połowy tego, co ty. Ellie, zaprowadź go do pokoju Geoffa. Will, jadłeś obiad? Chcesz, żeby podgrzać ci trochę żeberek? Pewnie jesteś głodny?

Uśmiech, jaki rzucił jej Will, mógłby po raz drugi spowodować zamknięcie obwodnicy.

– Tak, proszę pani – odparł. – Zawsze.

– Przygotuję ci coś do jedzenia – powiedziała mama i poszła do kuchni. Tata szedł za nią, mrucząc pod nosem całkiem głośno:

– Ten dzieciak przeje całe nasze oszczędności i dom.

– Tato – syknęłam z oburzeniem. – My cię słyszymy.

– Wiem! – odkrzyknął tata.

– Witam ponownie, panie profesorze – powiedział Will do pana Mortona. Nauczyciel podniósł się i stał kilka kroków od nas z zakłopotaną miną.

– Sire – powiedział pan Morton... I faktycznie złożył lekki ukłon.

Myślałam, że wybuchnę dzikim śmiechem, ale Will złapał mnie za ramię i wyciągnął na korytarz, zanim zdążyłam to zrobić.

– O mój Boże – szepnęłam, dusząc w sobie chichot. – Czy on ma zamiar tak się teraz do ciebie zwracać, ile razy cię zobaczy? Na przykład w szkole i tak dalej?

– Mam nadzieję, że nie. Chodź, pokażesz mi, gdzie mogę rzucić rzeczy.

Więc zabrałam go – i grzecznie zaciekawionego Kawalera – do pokoju Geoffa, który teraz służył nam jako pokój gościnny, skoro mój brat wyjechał na studia.

On u nas zostanie na noc, może nawet dłużej. Może na kilka nocy. Będę go widziała rano i wieczorem. Jak tę różę, którą mi dał, myślałam, kiedy szliśmy po schodach.

Nancy padnie, kiedy się dowie.

Will rzucił torbę na łóżko, nawet się nie rozglądając po pokoju, żeby sprawdzić, czy mu się tu będzie podobało. Zamiast tego patrzył tylko na mnie.

I nagle uświadomiłam sobie, że jesteśmy w tym pokoju zupełnie sami. No cóż, pomijając Kawalera i Berka, którzy jakoś zakradli się tu za nami po schodach. Ta dwójka ostrożnie dotknęła się nosami, a potem wycofała w przeciwległe krańce pokoju, żeby jeszcze trochę poobserwować się nawzajem.

– Obok jest łazienka – powiedziałam. – Rodzice korzystają z tej przy głównej sypialni, a ja z łazienki przy moim pokoju, więc będziesz ją miał tylko dla siebie. Leżą tam gościnne ręczniki. – Plotłam bzdury. Czułam, że plotę bzdury, ale nie mogłam przestać. – Zazwyczaj na śniadanie jemy płatki, ale mama przy specjalnych okazjach robi naleśniki, no a teraz to jest chyba taka specjalna okazja, więc może zrobi je jutro rano, jeśli...

– Elle – szepnął Will.

Zamrugałam powiekami i zamilkłam. No bo co innego mogłam zrobić? Za każdym razem, kiedy tak mnie nazywał, miałam wrażenie, że serce mi rośnie dwukrotnie.

– Tak?

– Nie dbam o naleśniki.

Znów zamrugałam.

– Nie sądziłam, że dbasz. Przepraszam. Ja tylko...

I wtedy mnie do siebie przyciągnął i zaczął całować.

A kiedy się całowaliśmy, zdałam sobie z czegoś sprawę. Z czegoś dziwnego.

A mianowicie że jestem szczęśliwa. Naprawdę szczęśliwa. Po raz pierwszy od... bardzo dawna.

I wcale mi się nie wydawało, że to uczucie szybko mi przejdzie.

– Hej – powiedziałam jakąś minutę później, kiedy wreszcie pozwolił mi złapać oddech. – Król nie powinien się tak zachowywać.

Will wypowiedział się na temat królów w sposób zdecydowanie niearystokratyczny, a potem znów zaczął mnie całować.

– Poza tym – odezwał się parę minut później, kiedy pod wpływem jego pocałunków przestałam wreszcie drżeć – chyba nie wierzysz w te rzeczy, które Morton wygaduje, prawda?

– Wcale – parsknęłam. Bo łatwo było nie wierzyć w moce Ciemności, kiedy Will trzymał mnie w ramionach, a ja opierałam policzek na jego ramieniu.

Przytaknął. Uwielbiałam sposób, w jaki czułam w jego ciele wibracje głosu, kiedy mówił.

– Ja też nie. Uwierzyłabyś, że istnieje cała organizacja ludzi, którzy tylko czekają, aż odrodzi się król Artur?

– Nie – powiedziałam. – Chociaż zdarzają się gorsze rzeczy, niż dać się uwielbiać grupce ludzi, którzy są najwyraźniej gotowi zapłacić ci czesne za studia.

– To prawda. – Will zastanawiał się przez chwilę. – Ale nie mogę przestać myśleć o tym, że... To znaczy, nie uważasz, że...?

Uniosłam głowę.

– Co?

– Nic. Tylko... No cóż, dzisiaj, tam w parku, było dziwnie. Kiedy rzuciłaś mi ten miecz...

– To nie miało z nim nic wspólnego – zaprotestowałam, znów przytulając policzek do jego ramienia. – Ani z tym, co twierdzi pan Morton. To był tylko... zbieg okoliczności. No wiesz, to, że podałam ci miecz dokładnie wtedy, kiedy niebo pojaśniało, i to, że Marco mógł w każdej chwili strzelić. Jutro, kiedy policja odda miecz mojemu tacie, obejrzysz go i sam zobaczysz. To tylko zwykły, stary, pordzewiały kawał żelaza.

– Wiem. Tym bardziej jest to dziwne. To znaczy, że wierzę w to, co powiedział Morton. A przynajmniej częściowo... na przykład w to, że już cię znałem. Tego pierwszego dnia, obok jaru, kiedy się do mnie uśmiechnęłaś. Nigdy wcześniej cię nie widziałem, ale i tak... cię znałem.

– Ty tylko chciałeś mnie poznać – powiedziałam, ściskając go. – Bo jestem taka urocza i tak dalej.

Will pokręcił głową. Jego błękitne oczy lśniły.

– Myślisz, że znasz odpowiedzi na wszystkie pytania, co? – zapytał. – No to rozwiąż mi tę zagadkę, Batgirl. Dlaczego wszyscy mamy tak podobne imiona? Lance i Lancelot. Jennifer i Ginewra. Morton i Merlin...

Aż westchnęłam przy tych słowach.

– Nie! Chyba nie myślisz, że... Nie Merlin.

– Hej – powiedział. – Czy to jest choć odrobinę bardziej szalone niż to, że ja mam być podobno Arturem, a ty Panią Jeziora?

– Ja nie jestem żadną Panią Jeziora – sprostowałam stanowczo.

– No tak, istotnie? – Znów szeroko się uśmiechał. – Przy tej ilości czasu, jaką spędzasz w wodzie?

– To basen – wytknęłam mu. – Nie żadne jezioro. A ja nawet nie należę do reprezentacji pływackiej. Poza tym, co z tego, jeśli to nawet prawda? Jeśli ty rzeczywiście jesteś Arturem, a ja Panią Jeziora... Ta historia nie tak się miała skończyć. Przynajmniej dla nas. Razem. W taki sposób.

– Tym razem tak – powiedział z uśmiechem. I znów mnie pocałował.

A ja wtedy przypomniałam sobie coś, o czym całkiem zapomniałam. Coś, z czego na pewno zdawał sobie sprawę siedzący na dole pan Morton. Coś, o czym zdecydowałam się nie wspominać Willowi.

A mianowicie że w legendach o Camelocie Pani Jeziora nie tylko podarowała Arturowi miecz.

Nie, ona zrobiła dla niego coś jeszcze.

Kiedy było już po wszystkim, zabrała go do domu.

Do Avalonu.